A-Z COLC

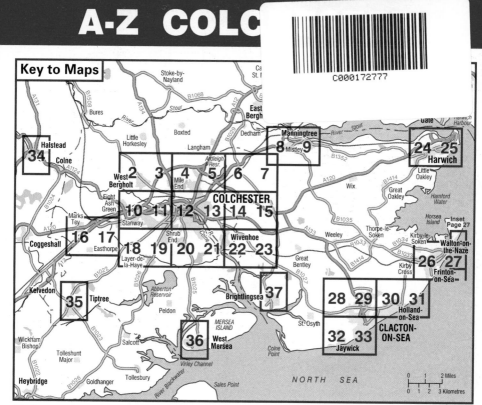

Key to Maps

Reference

A Road	A12	Local Authority Boundary	— · —	Toilet	▽	
				with facilities for the Disabled	🚻	
B Road	B1022	Postcode Boundary	— —	Educational Establishment	⌐	
Dual Carriageway		Map Continuation	▲ 12	Hospital or Health Centre	⌐	
One Way Street				Industrial Building	⌐	
Traffic flow on A roads is indicated by a heavy line on the drivers' left.	➡	Car Park Selected	P			
		Church or Chapel	†	Leisure or Recreational Facility	⌐	
Restricted Access		Cycle Route Selected	⨀			
Pedestrianized Road		Fire Station	■	Place of Interest	⌐	
Track & Footpath	===---	Hospital	🅗			
Residential Walkway	········	Information Centre	🅘	Public Building	⌐	
Railway	Level Crossing / Station	National Grid Reference	5 98	Shopping Centre or Market	⌐	
		Police Station	▲			
Built Up Area	ELM CL	Post Office	★	Other Selected Buildings	⌐	

Scale 1:19,000

0 — ¼ — ½ Mile

0 — 250 — 500 — 750 Metres — 1 Kilometre

3⅓ inches (8.47 cm) to 1 mile
5.26 cm to 1 kilometre

Geographers' A-Z Map Company Limited

Head Office :
Fairfield Road, Borough Green, Sevenoaks, Kent TN15 8PP
Tel: 01732 781000

Showrooms :
44 Gray's Inn Road, London WC1X 8HX
Tel: 020 7440 9500

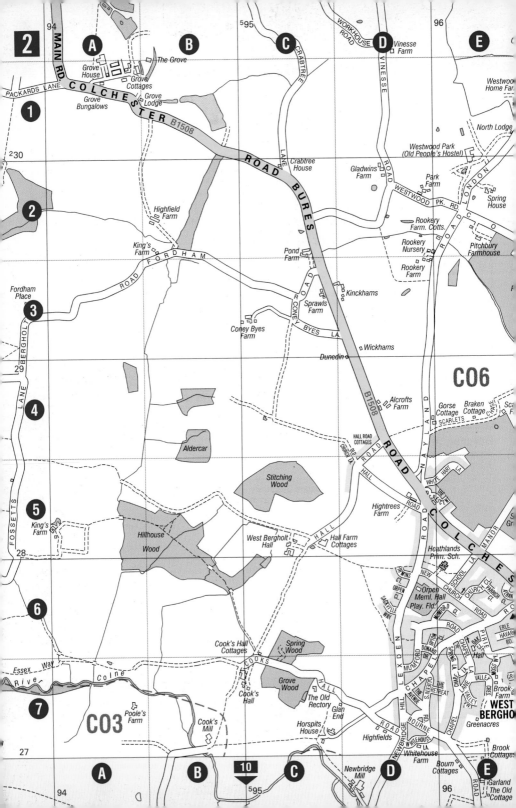

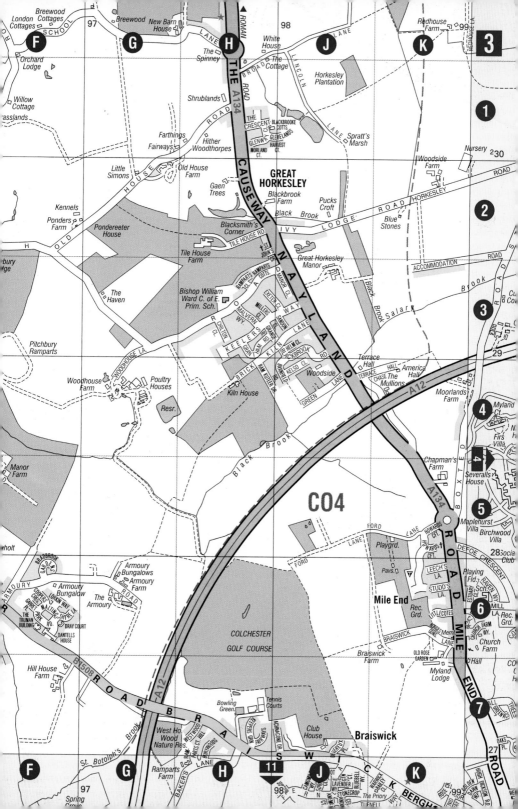

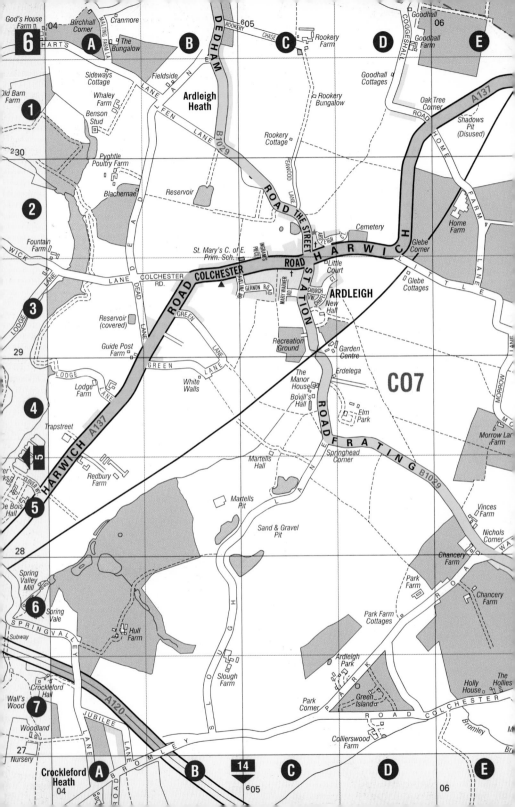

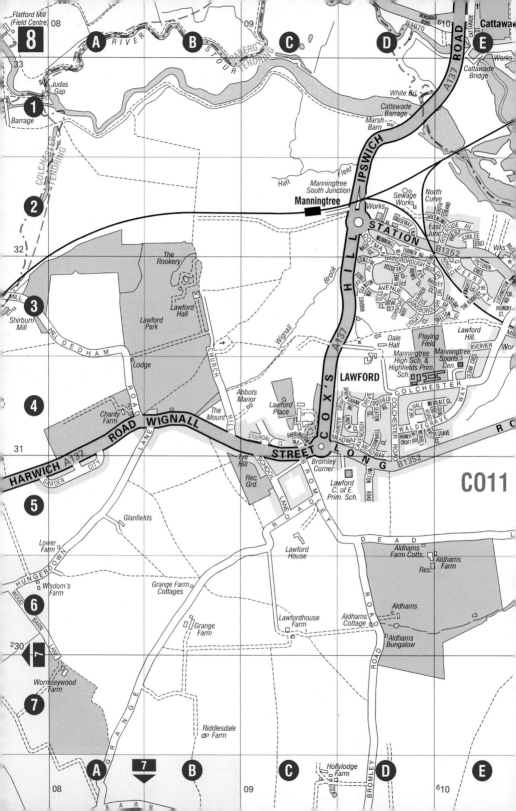

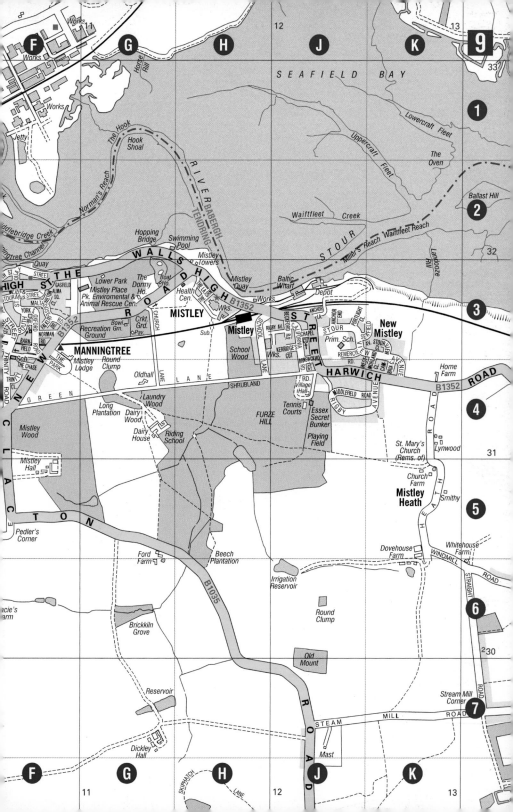

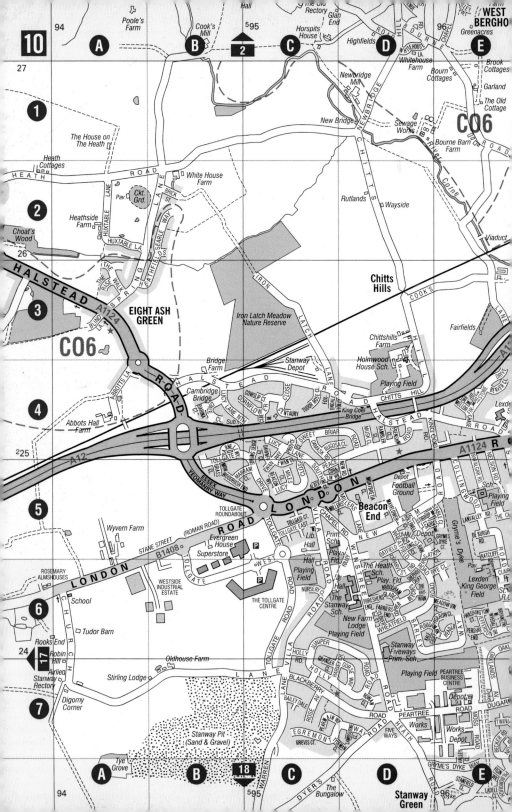

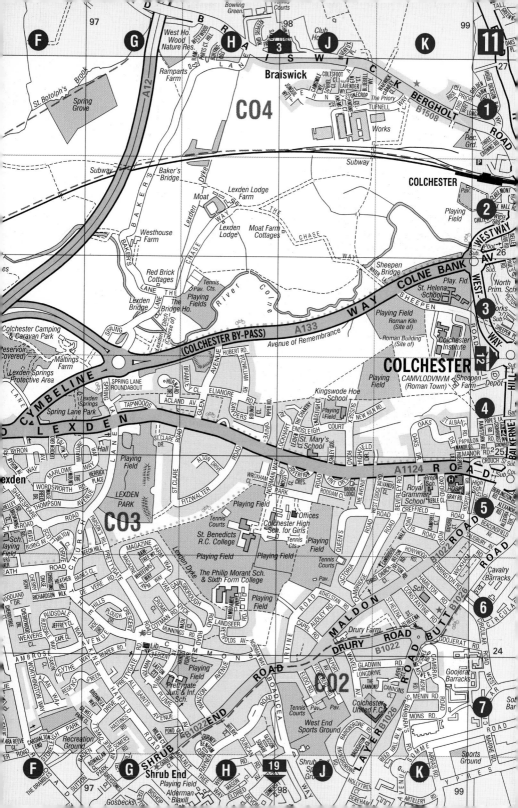

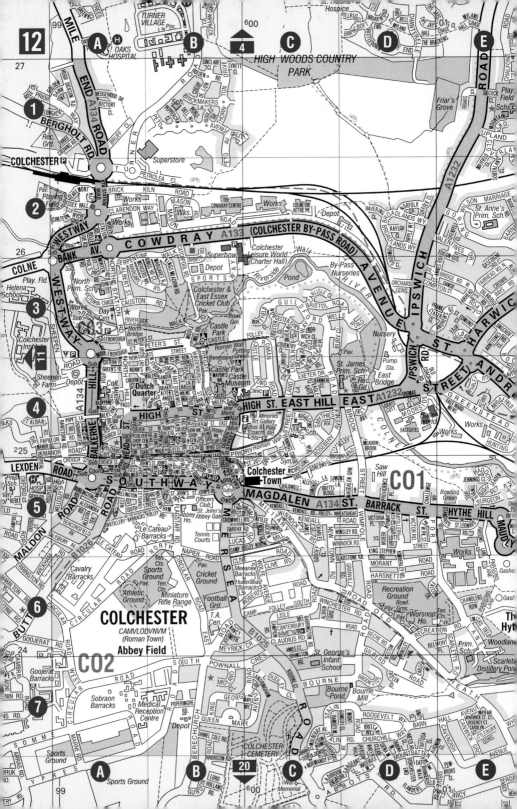

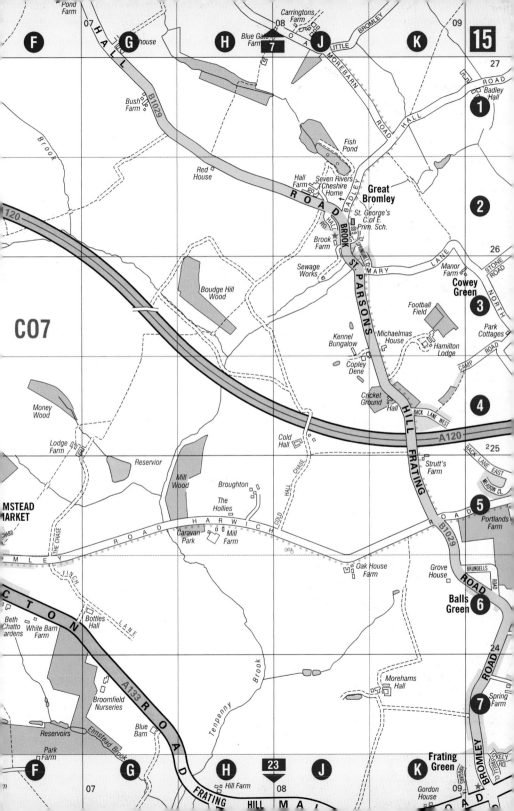

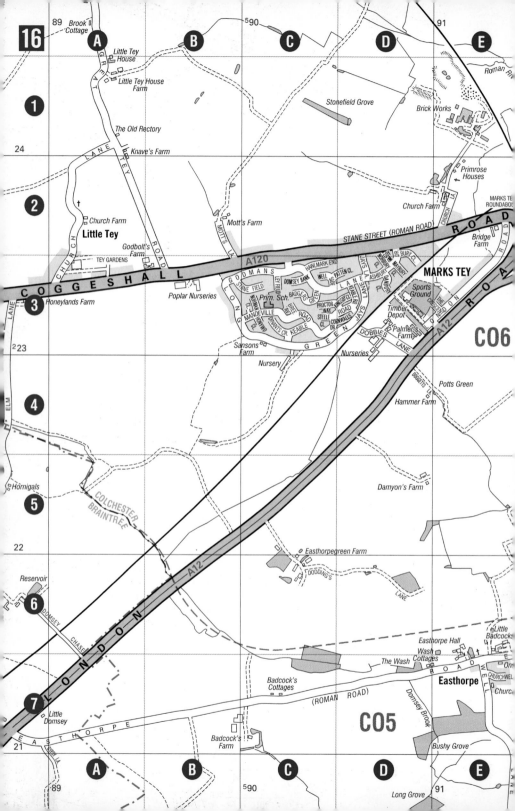

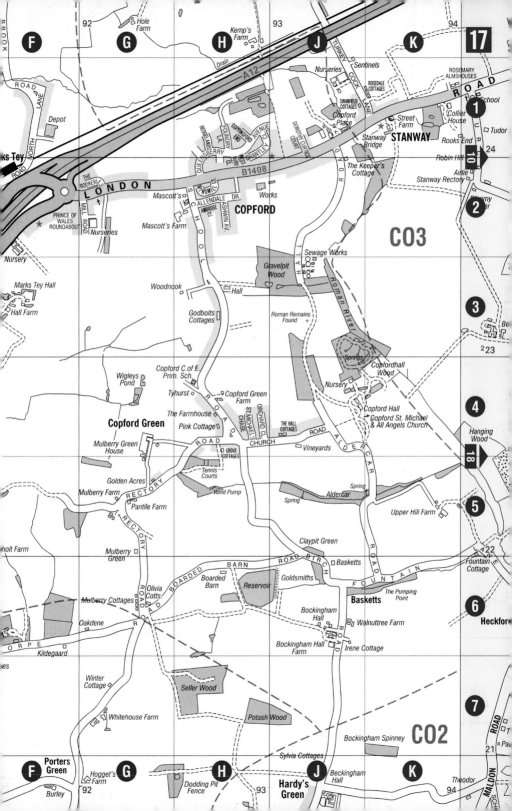

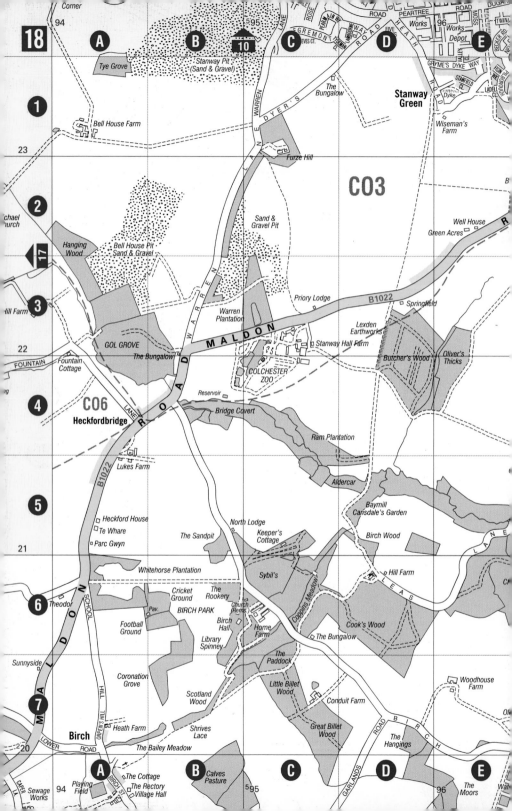

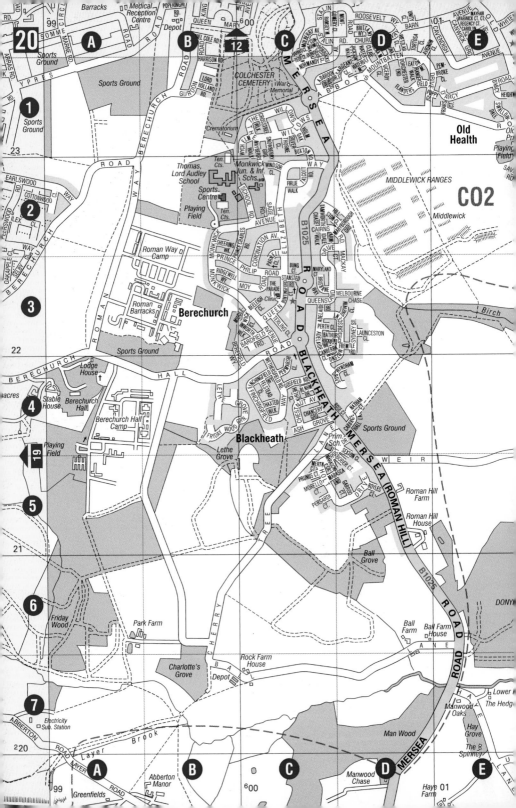

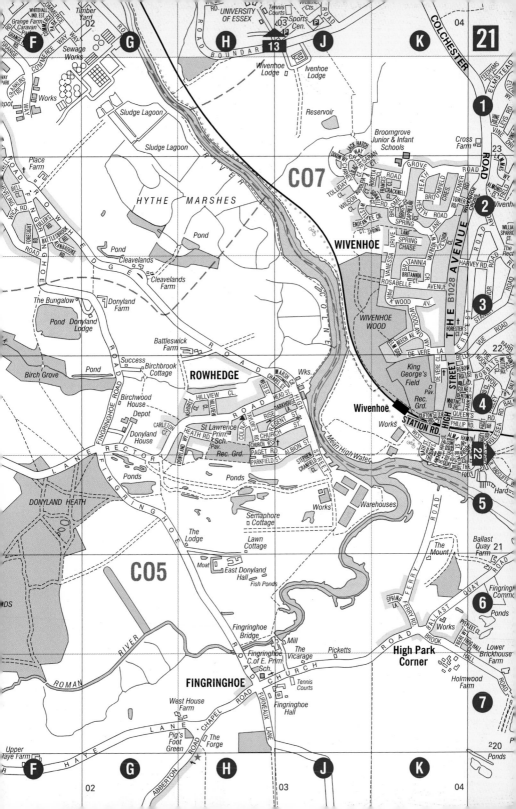

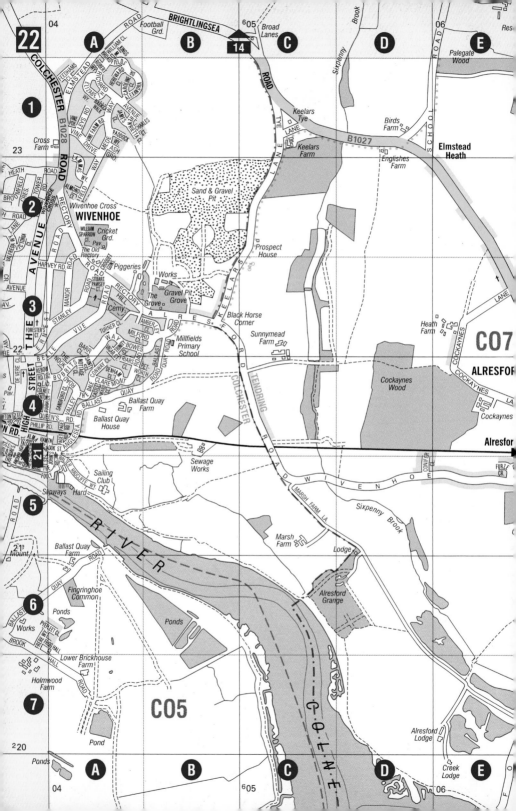

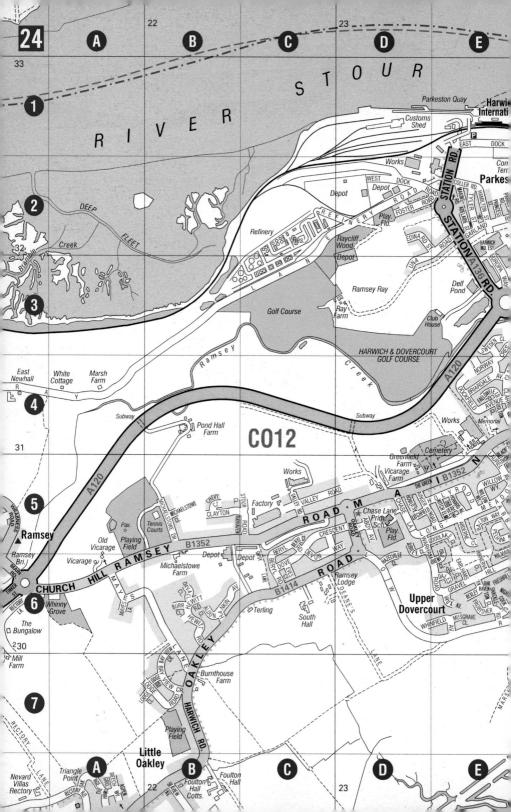

HARWICH
HARBOUR

Harwich to :
Esbjerg 19hrs.
Hook of Holland 3hrs. 40mins.
Hamburg 20hrs.
Gothenburg 24hrs.

Ferry (Passenger)
to: Felixstowe
& Shotley
Pier

Navyard
Wharf

Trinity House
Pier

Pier

THE QUAY

Harbour

Lifeboat
Museum

Harbour

Train Ferry
Berth

Guildhall

The Harwich
Treadmill Crane
(Re-erected)

Harwich
Town

Low
Lighthouse
(Maritime
Museum)

The Harwich
Grn

HARWICH

The
Guard

Bath
Side

Depot

Tower Hill

Harwich
Redoubt

Weir

Creek

Bobshole

Patrick's
Cut

Play.
Fld.

Beacon
Hill

Beacon
Cliff

Superstore

A120

Dovercourt

Breakwater

DOVERCOURT

KINGSWAY

HIGH STREET

MARINE PARADE

Adult
Education
Cen.

Play. Fld.
Prim.
Sch.

Bobbit's
Hole

Play.
Fld.

STATION
LANE

NELSON

Ftbll
Grd.

HANOVER

Crooked
Elms

DOVERCOURT
BAY

HARWICH &
DISTRICT
HOSP

Mag.
Ct.

Dovercourt

Hlth.
Cen.

B1352

Res.
(cov.)

War
Meml

Lime
Court

B1414

Dovercourt
Sports
Club

St. Joseph's
R. C. Prim. Sch.

Skating
Rink

Upper
Lighthouse (Disused)

Causeway

Lower Lighthouse
(Disused)

The Harwich
School

Playing
Field

Dovercourt
Swim. Pool

Boating
Lake

N O R T H

Greenacres
Caravan
Pk.

Dovercourt Bay
Holiday Camp

Sports
Ground

S E A

Dovercourt
Caravan Club

Sewage
Works

Middle Beach

32
31
30

1
2
3
4
5
6
7

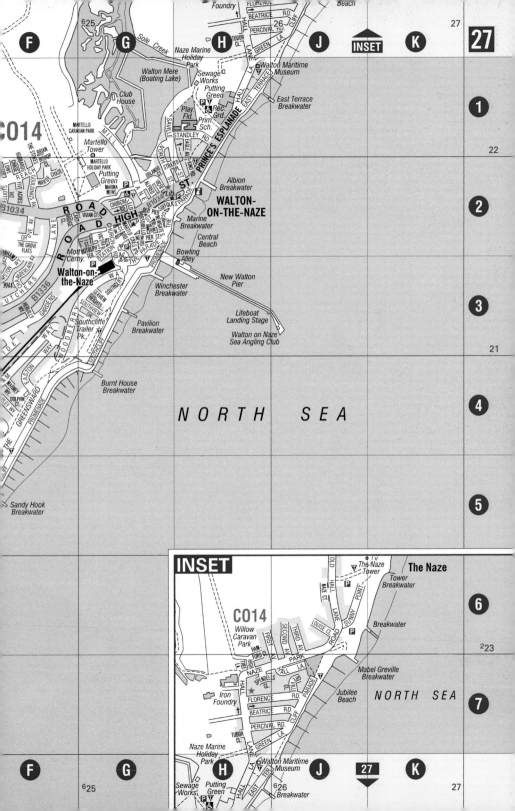

F G H J K

INSET

1

22

Foundry
BEATRICE RD.
FLORENCE
PERCIVAL RD.
26
Beach
27

Sole Creek
Naze Marine Holiday Park
Walton Mere (Boating Lake)
Sewage Works
Putting Green
Rec. Grd.
Prim. Sch.
Play. Fld.
Walton Maritime Museum
East Terrace Breakwater

Club House

CO14

MARTELLO CARAVAN PARK
Martello Tower
Martello Holiday Park
Putting Green
MARINA MEWS

THE STATUS QUO
BRIAN CL.
BISHOP CL.
WARD CHASE
HUBBARDS REACH
THE ACRES
SLOTTI

B1034

SAVILE ST.
NORTH ST.
MILL LANE
ORLANDO
NICHOL
STRATTO
STANDLEY
FABLE AV.
KING RD.
EAST TERRACE
PRINCE'S ESPLANADE
HALL LANE
ST.

Albion Breakwater

WALTON-ON-THE-NAZE

2

ROAD
HIGH
Lib.
CHURCHE
RD.
OLD PIER ST.
SUFFOLK RD.
Marine Breakwater

GROVE AV.
THE GROVE FLATS
VIVIAN CT.

Central Beach

HIGH
Mott Cerny.
STATION RD.
NEW PIER ST.
PARADE
Walton-on-the-Naze
P
THE
Bowling Alley

3

BUTCHERS
B1336
FRINTON WY.
MACERLAN AV.
WINSTON AV.
WOODBERRY WAY
GARDENS
SOUTHCLIFFE
EASTON
SEAVIEW
SOUTHVIEW
HEIGHTS
SOUTHGATE

Winchester Breakwater
New Walton Pier

Pavilion Breakwater
Southcliffe Trailer Pk.

Lifeboat Landing Stage
Walton on Naze Sea Angling Club

21

THE
GREENSWARD
PROMENADE
DOLPHIN CT.
MALNEY
EASTON WAY
WOODBERRY WAY

Burnt House Breakwater

4

N O R T H   S E A

Sandy Hook Breakwater

5

INSET

OLD
HALL
NAZE CT.
SUNNY POINT
LANE
P
The Naze Tower
Tower Breakwater

The Naze

6

CO14
Willow Caravan Park
FIRST AV.
SECOND AV.
THIRD AV.
PARK
LOUISE CT.
Breakwater

FIELD
HALL
FORD CL.
NAZE
SPENDELLS
CROSS
TIMM
SECOND
PARADE

Mabel Greville Breakwater

7

Iron Foundry
FLORENCE RD.
BEATRICE RD.
PERCIVAL RD.
TUDOR CL.

Jubilee Beach

N O R T H   S E A

²23

Naze Marine Holiday Park
Sewage Works
Putting Green
HALL LANE
GREEN LA.
EAST TERRACE
CLIFF LA.
Walton Maritime Museum
Breakwater

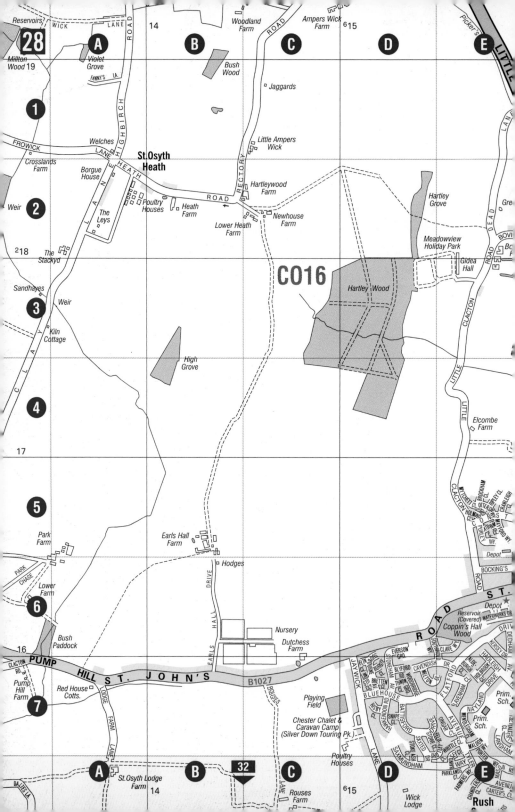

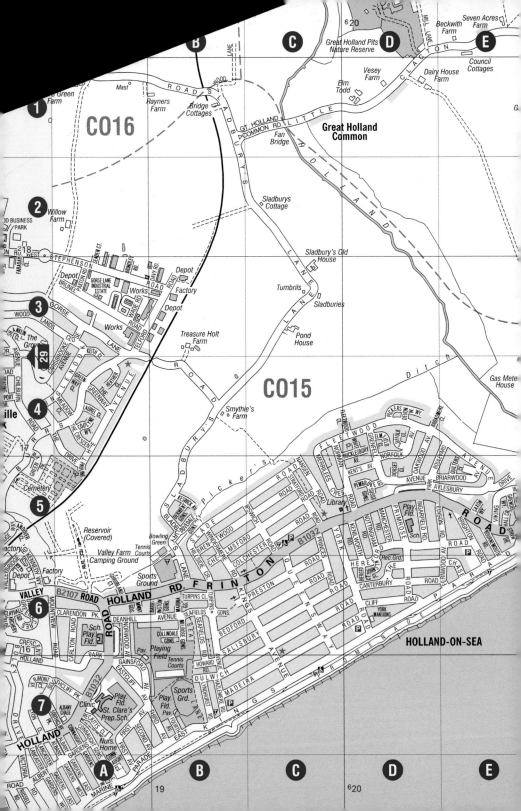

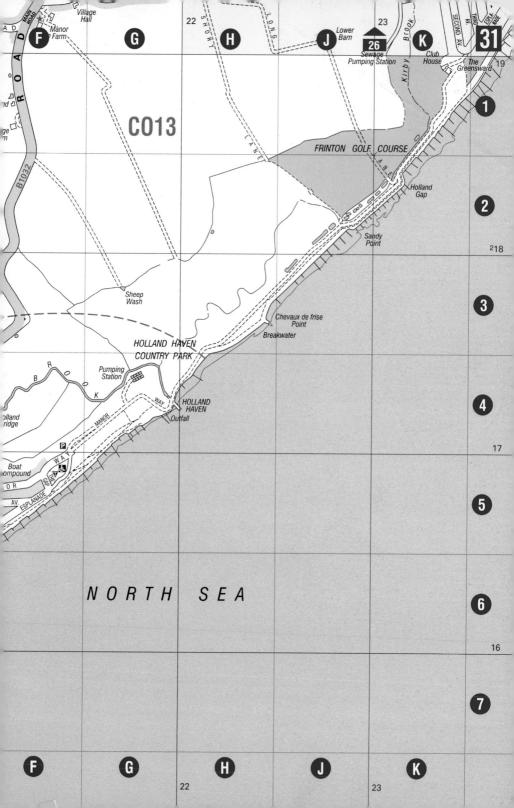

31

F Manor Farm · Village Hall

G

H 22 · SHORT · LONG

J Lower Barn

26 Sewage Pumping Station · 23

K Club House

31 · The Greensward · 19

1

CO13

FRINTON GOLF COURSE

2 Holland Gap · Sandy Point · 218

3 Chevaux de frise Point · Breakwater

Sheep Wash

HOLLAND HAVEN COUNTRY PARK

Pumping Station

4 HOLLAND HAVEN · Outfall · 17

BROOK

MANOR · WAY

olland ridge

Boat Compound

P

GAP · WAY · OR

AV. · ESPLANADE

5

6 16

NORTH SEA

7

F

G

H 22

J 23

K

ROAD · MAIN ROAD · B1032 · KIRBY BROOK · SECOND AV. · THIRD AV. · ESPL. · MNE. · LANE · LANE

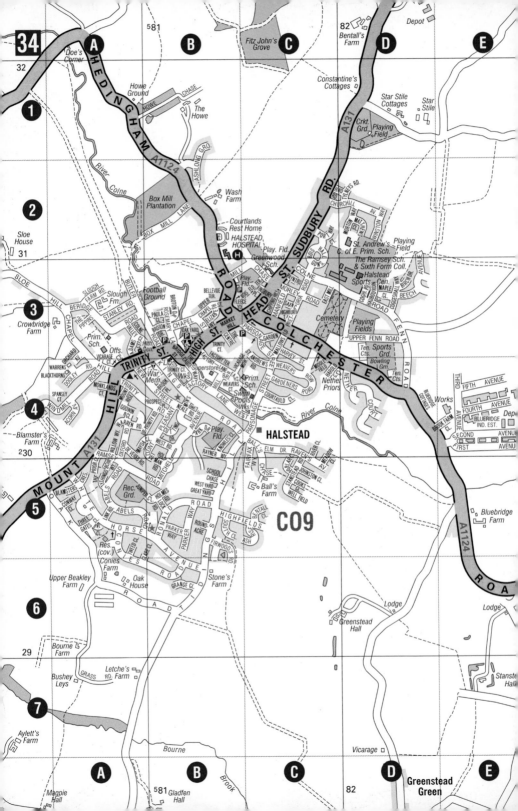

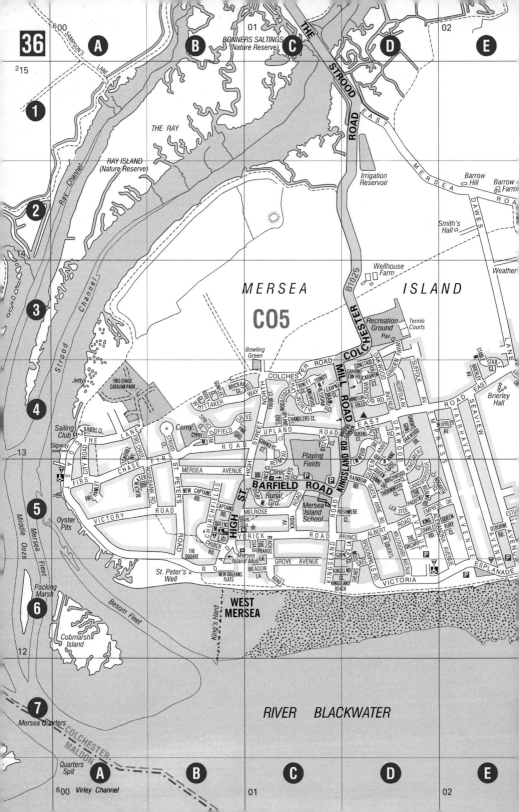

INDEX TO STREETS

Including Industrial Estates and a selection of Subsidiary Addresses.

HOW TO USE THIS INDEX

1. Each street name is followed by its Posttown or Postal Locality and then by its map reference; e.g. Abberton Rd. *Lay H* —7H **19** is in the Layer-de-la-Haye Postal Locality and is to be found in square 7H on page **19**. The page number being shown in bold type.
A strict alphabetical order is followed in which Av., Rd., St., etc. (though abbreviated) are read in full and as part of the street name; e.g. Ash Way appears after Ashurst Clo. but before Ashwin Av.

2. Streets and a selection of Subsidiary Addresses not shown on the Maps, appear in the index in *Italics* with the thoroughfare to which it is connected shown in brackets; e.g. *Alderman Howe Lodge. H'wds* —6D **4** (off Tynedale Sq.)

GENERAL ABBREVIATIONS

POSTTOWN AND POSTAL LOCALITY ABBREVIATIONS

INDEX TO STREETS

Abberton Rd. *Fing* —7G **21**
Abberton Rd. *Lay H* —7H **19**
Abbeygate St. *Colc* —5B **12**
Abbots Clo. *Clac S* —5H **29**
Abbot's Rd. *Colc* —1C **20**
Abbott Rd. *Har* —5E **24**
Abbotts La. *Eig G* —4A **10**
Abdy Av. *Har* —5D **24**
Abels Rd. *H'std* —5A **34**
Abinger Clo. *Clac S* —5F **29**
Acacia Av. *Colc* —3G **13**
Accommodation Rd. *Boxt* —3K **3**
Achnacone Dri. *T'J* **3**
Acland Av. *Colc* —4G **11**
Acorn Av. *H'std* —4A **34**
Acorn Clo. *Colc* —6F **5**
Acorn Clo. *Har* —6F **25**
Adams Ct. *H'std* —3A **34**
Adelaide Clo. *Clac S* —3C **20**
Adelaide St. *Har* —2E **24**
Affleck Rd. *Colc* —4G **13**
Agar Rd. *W on N* —2G **27**
Agate Rd. *Clac S* —2H **33**
Agincourt Rd. *Clac S* —7G **29**
Ainger Rd. *Har* —5D **24**
Aisne Rd. *Colc* —7K **11**
Alamein Rd. *Colc* —2J **19**
Alanbrooke Rd. *Colc* —2F **21**
Alan Dri. *L Cla* —2G **29**
Alan Way. *Colc* —7F **11**
Albany Chase. *Clac S* —7A **30**
Albany Clo. *W Ber* —6E **2**
Albany Gdns. E. *Clac S* —7A **30**
Albany Gdns. W. *Clac S* —7K **29**
Albany Rd. *W Ber* —6E **2**
Albemarle St. *Har* —2E **24**
Albert Gdns. *Clac S* —1K **33**
Albertine Clo. *S'way* —5C **10**
Albert Rd. *B'sea* —6J **37**
Albert St. *Colc* —3A **12**

Albert St. *Har* —2J **25**
Albion Gro. *Colc* —6C **12**
Albion St. *Rhdge* —4J **21**
Albrighton Cft. *H'wds* —6E **4**
Aldeburgh Clo. *Clac S* —7E **28**
Aldeburgh Gdns. *H'wds* —6D **4**
Aldercar Rd. *Cop* —4J **17**
Alderman Howe Lodge. H'wds —6D **4**
(off Tynedale Sq.)
Alderton Rd. *Colc* —3E **12**
Aldon Clo. *Har* —6B **24**
Alefounder Clo. *Colc* —5G **13**
Alexandra Av. *W Mer* —5D **36**
Alexandra Dri. *W'hoe* —1A **22**
Alexandra Rd. *Clac S* —1H **33**
Alexandra Rd. *Colc* —5A **12**
Alexandra Rd. *Har* —2J **25**
Alexandra St. *Har* —2J **25**
Alexandra Ter. *Colc* —5A **12**
Alfells Rd. *Elms* —6D **14**
Alfred Ter. *W on N* —2G **27**
Allendale Dri. *Cop* —2H **17**
Alleyne Way. *Jay* —4D **32**
Allfields. *Dov* —5E **24**
All Saints Av. *Colc* —7G **11**
Alma Sq. *Mann* —3F **9**
Alma St. *W'hoe* —4K **21**
Almond Clo. *Clac S* —1F **33**
Almond Clo. *Tip* —4G **35**
Almond Clo. *W'hoe* —2A **22**
Almond Way. *Colc* —3G **13**
Alport Av. *Colc* —7J **11**
Altbarn Clo. *H'wds* —5E **4**
Altbarn Rd. *Colc* —6F **13**
Alton Dri. *Colc* —5H **11**
Alton Pk. Rd. *Clac S* —2G **33**
Alton Pk. Rd. *Jay* —3D **32**
Alton Rd. *Clac S* —2H **33**
Alverton Way. *H'wds* —7D **4**
Alvis Av. *Jay* —6B **32**

Alyssum Wlk. *Colc* —4F **13**
Amberley Clo. *W'hoe* —3B **22**
Ambrose Av. *Colc* —7F **11**
Ambrose Ct. *Cop* —2H **17**
Amies Ct. *Colc* —6C **12**
Anchor End. *Mis* —3J **9**
Anchor Hill. *W'hoe* —5K **21**
Anchor La. *Mis* —3J **9**
Anchor Rd. *Clac S* —1G **33**
Anchor Rd. *Tip* —5G **35**
Andover Clo. *Clac S* —5K **29**
Anemone Ct. *Colc* —1J **11**
Angel Ct. *Colc* —4B **12**
Angel Ga. *Har* —1K **25**
Anglefield. *Clac S* —2J **33**
Anglesea Rd. *W'hoe* —4A **22**
Anglia Clo. *Colc* —1H **19**
Anne Clo. *B'sea* —6H **37**
Anson Clo. *Dov* —5F **25**
Anthony Clo. *Colc* —7F **5**
Antonio Wlk. *Colc* —4H **13**
Antonius Way. *Colc* —4D **4**
Anzio Cres. *Colc* —2J **19**
Apollo M. *Colc* —3J **19**
Approach, The. *Jay* —4D **32**
Aragon Clo. *Jay* —4C **32**
Arakan Clo. *Colc* —3H **19**
Arbour Way. *Colc* —7E **4**
Archery Fields. *Clac S* —6K **29**
Arden Clo. *Colc* —1H **19**
Arderne Clo. *Har* —5E **24**
Ardleigh Ct. *A'lgh* —2C **6**
Ardleigh Rd. *A'lgh* —6F **7**
Ardleigh Rd. *L Bro* —4H **7**
Ariel Clo. *Colc* —4G **13**
Armidale Wlk. *Colc* —2C **20**
Armoury Rd. *W Ber* —6F **3**
Arnold Dri. *Colc* —5G **13**
Arnold Rd. *Clac S* —2G **33**
Arnold Vs. *Tip* —4G **35**

Arnstones Clo. *Colc* —3E **12**
Arras Rd. *Colc* —1K **19**
Arrow Rd. *Colc* —4H **13**
Arthur St. *Colc* —5B **12**
Artillery Barracks Folley. *Colc* —5A **12**
Artillery Rd. *Colc* —1K **19**
Artillery St. *Colc* —5D **12**
Asbury Clo. *Colc* —3F **13**
Ashbury Dri. *M Tey* —3D **16**
Ash Clo. *B'sea* —5G **37**
Ash Clo. *Clac S* —1F **33**
Ashdown Way. *Colc* —4F **13**
Ashes Clo. *W on N* —2D **26**
Ash Gro. *Colc* —4C **20**
Ash Gro. *W'hoe* —1A **22**
Ashley Gdns. *Colc* —5J **11**
Ashley Rd. *Har* —4F **25**
Ashlong Gro. *H'std* —2B **34**
Ashmole Dri. *Kir X* —4D **26**
Ash Ri. *H'std* —5C **34**
Ash Rd. *Alr* —4F **23**
Ashtead Clo. *Clac S* —5E **28**
Ashurst Clo. *Rhdge* —4H **21**
Ash Way. *Colc* —1F **19**
Ashwin Av. *Cop* —2H **17**
Ashylyn's Rd. *Frin S* —6C **26**
Aspen Way. *Colc* —3F **13**
Aspen Way. *L Oak* —7A **24**
Asquith Dri. *H'wds* —5E **4**
Astell Ct. *Frin S* —6D **26**
Aster Clo. *Clac S* —7F **29**
Astley Rd. *Clac S* —1G **33**
Athelstan Rd. *Colc* —6J **11**
Attlee Gdns. *Colc* —5C **12**
Attwood Clo. *H'wds* —5D **4**
Audley Rd. *Colc* —6J **11**
Audley Way. *Frin S* —4E **26**
Audries Est. *W on N* —2E **26**
Augustus Clo. *Colc* —4D **4**
Austin Av. *Jay* —6B **32**

Camellia Cres.—Cranleigh Clo.

Camellia Cres. Clac S —6F 29
Camomile Way. Colc —1J 11
Campbell Ct. Colc —5K 11
Campbell Dri. Colc —1G 13
Campernell Clo. B'sea —4H 37
Camp Folley N. Colc —6B 12
Camp Folley S. Colc —6C 12
Campion Rd. Colc —6C 12
Camp Rd. Gt Bro —4K 15
Camulodunum Way. Colc —3J 19
Camulus Clo. Colc —2F 19
Canberra Clo. Colc —4C 20
Canning St. Har —2J 25
Cannon Rd. Colc —5D 12
Cannons Clo. Colc —7K 11
Cannons, The. Colc —7J 11
Cannon St. Colc —5D 12
Canterbury Rd. Colc —6C 12
Canterbury Rd. Hol S —6D 30
Canwick Gro. Colc —7E 12
Cape Clo. Colc —6F 11
Capel Pk. Kir X —3C 26
Capel Rd. Colc —6J 11
Caper La. B'ch —7A 18
Cap Pillar Clo. W'hoe —2K 21
Captains Rd. W Mer —5B 36
Cardinal Clo. Colc —4H 13
Carisbrooke Av. Clac S —3K 29
Carleton Ct. Rhdge —4G 21
Carlisle Clo. Colc —3C 12
Carlton Rd. Clac S —7A 30
Carnarvon Rd. Clac S —1J 33
Carolina Way. Tip —4H 35
Caroline Clo. W'hoe —1A 22
Caroline Ct. Colc —1G 19
Carolyn Ct. Colc —7E 12
Carriers Clo. W Mer —4A 36
Carrington Ct. W Mer —4D 36
Carrington Ho. W Mer —4D 36
Carringtons Rd. Gt Bro —7F 7
Carrs Rd. Clac S —1G 33
Carshalton End. Colc —7F 11
Cartbridge Clo. W on N —2F 27
Carters Clo. Clac S —1E 32
Cassino Rd. Colc —1J 19
Castle Bailey. Colc —4B 12
Castle Folley. Colc —3B 12
Castlegate St. Har —1K 25
Castle Hill Pk. Clac S —4J 29
Castle Rd. Clac S —1H 33
Castle Rd. Colc —3C 12
Castleward Clo. W'hoe —4A 22
Catchpool Rd. Colc —2B 12
Caterham Clo. Clac S —5F 29
Catherine Clo. Clac S —6K 29
Catherine Hunt Way. Colc —2H 19
Cattawade St. Catt —1E 8
Cattermole Clo. Clac S —1E 32
Causeway End. Mann —2D 8
Causeway Reach. Clac S —4H 29
Causeway, The. Colc —2E 12
Causeway, The. Gt Hork —1H 3
Causeway, The. H'std —4B 34
Causton Rd. Colc —3A 12
Cavendish Av. Colc —7E 12
Cavendish Dri. Clac S —7D 28
Cavendish Dri. Law —4D 8
Cedar Av. B'sea —5G 37
Cedar Av. Tip —3G 35
Cedar Clo. W on N —3E 26
Cedar Cres. Law —4E 8
Cedars Rd. Colc —5A 12
Celandine Ct. Colc —1J 11
Centaury Clo. S'way —4C 10
Centenary Way. L Cla —2G 29
Central Av. Frin S —4E 26
Centre, The. Colc —4G 13
Centre, The. H'std —3B 34
Centre, The. Tip —5H 35
Centurion Way. Colc —2G 19
Chaffinch Gdns. Colc —3H 13
Chalfont Rd. Colc —1E 12
Challenge Way. Colc —5D 12
Chamberlain Av. W on N —3F 27
Chancery Gro. B'hth —4C 20
Chandlers Clo. Clac S —1E 32
Chandlers Clo. W Mer —4C 36
Chandlers Ct. W Mer —4C 36
Chandlers Row. Colc —6E 12
Chaney Rd. W'hoe —2J 21
Chanterelle. H'wds —7D 4
Chantree Gdns. Colc —7F 11
Chantry Clo. Clac S —4H 29
Chantry, The. Colc —4J 11
Chapel Ct. A'lgh —3C 6
Chapel Cut. Mis —3J 9
Chapelfields. Kir X —4C 26
Chapel Hill. H'std —3A 34
Chapel La. C Hth —1K 13
Chapel La. Elms —5E 14
Chapel La. W Ber —7E 2
Chapel Rd. B'sea —6J 37
Chapel Rd. Rhdge —7H 21
Chapel Rd. S'way —5C 10
Chapel Rd. Tip —6H 35
Chapel Rd. W Ber —7D 2
Chapel Rd. W'hoe —4K 21
Chapel St. H'std —3B 34
Chapel St. Rhdge —4H 21
Chapel St. N. Colc —5A 12
Chapel St. S. Colc —5A 12
Chaplin Dri. Colc —2F 13
Chaplins. Kir X —3D 26
Chapman Rd. Clac S —1J 33
Charles Ct. S'way —5D 10
Charles Ct. W'hoe —1A 22
Charles Pell Rd. Colc —5G 13
Charles Pl. Colc —5E 12
Charles Rd. B'sea —6H 37
Charles St. Colc —5C 12
Charlotte Dri. Kir X —4C 26
Charnock Clo. Kir X —4D 26
Charter Ct. H'wds —4E 4
Chartfield Dri. Kir S —2B 26
Chase Ct. Colc —4G 13
Chase La. Har —5D 24
Chase, The. Bran —4F 9
Chase, The. Colc —4D 12
(East St.)
Chase, The. Colc —4F 13
(Greenstead Rd.)
Chase, The. Elms —5F 15
Chase, The. G Est —4G 13
Chase, The. Hol S —6D 30
Chase, The. Lex H —5E 10
Chase, The. W Mer —5C 36
Chase Way, The Colc —3G 11
(in two parts)
Chatsworth Gdns. Clac S —2G 33
Chatsworth Rd. W Mer —4C 36
Chaucer Clo. Jay —3D 32
Chaucer Way. Colc —5F 11
Chelmer Clo. Kir X —3C 26
Chelmsford Rd. Hol S —6B 30
Chequers Rd. L Bro —6E 8
Chequers, The. Alr —5E 22
Cherry Chase. Tip —6H 35
Cherry Row. Colc —6F 11
Cherry Tree Av. Clac S —3F 33
Cherrytree Ct. Colc —6F 11
Cherry Tree La. B'hth —6B 20
Cherrywood Dri. Colc —6F 11
Chervil Clo. Tip —6G 35
Chestnut Av. Clac S —2F 33
Chestnut Av. Colc —4C 20
Chestnut Av. Kir X —4A 26
Chestnut Rd. Alr —4F 23
Chestnut Way. B'sea —5G 37
Chestnut Way. Tip —4G 35
Cheveling Rd. Colc —2F 21
Chevy Ct. Har —5B 24
Chilburn Rd. Clac S —4J 29
Childwell All. Colc —5C 12
Chiltern Clo. Colc —2A 12
Chilton Clo. Gt Hork —3H 3
Chingford Av. Clac S —3J 29
Chinook. H'wds —5D 4
Chipping Hill. H'std —3C 34
Chipstead Wlk. Clac S —5F 29
Chitts Hill. Colc —1D 10
Christ Chu. Ct. Colc —6K 11
Christine Chase. Colc —6F 11
Christopher Dri. L Cla —2G 29
Church Clo. W Ber —6E 2
Church Cres. Clac S —2J 33
Church Farm Way. Colc —6A 4
Churchfield Rd. W on N —2G 27
Churchfields. W Mer —5B 36
Church Hill. Law —4B 8
Church Hill. R'sy —6A 24
Church Hill. Rhdge —4H 21
Churchill Av. H'std —2C 34
Churchill Clo. B'sea —4H 37
Churchill Rd. Tip —5K 35
Churchill Way. Colc —7D 12
Church La. Bran —3G 9
Church La. Colc —6F 11
Church La. Gt Hol —7A 26
Church La. Har —1K 25
Church La. L Tey —3A 16
Church La. M Tey —2E 16
Church La. S'way —6A 10
Church Rd. Alr —5F 23
Church Rd. B'sea —2F 37
Church Rd. Clac S —2J 33
Church Rd. Cop —4H 17
Church Rd. Elms —5E 14
Church Rd. Fing —7H 21
Church Rd. Frat —1H 23
Church Rd. Lay H —7F 19
Church Rd. L Bro —6K 7
Church Rd. Thorr —5K 23
Church Rd. Tip —4G 35
Church Rd. W on N —2G 27
Church Rd. W Mer —5B 36
Church St. Colc —4A 12
Church St. Har —1J 25
Church St. Rhdge —4H 21
Church Vw. A'lgh —3C 6
Church Wlk. Colc —4A 12
Churchwell Av. Ethpe —7E 16
Churnwood Clo. Colc —2F 13
Churnwood Rd. Colc —2F 13
Cinque Port Rd. B'sea —5H 37
Circular Rd. E. Colc —6B 12
Circular Rd. N. Colc —6A 12
Circular Rd. S. Colc —7A 12
(in two parts)
Circular Rd. W. Colc —6K 11
Cistern Yd. Colc —4A 12
City Rd. W Mer —5A 36
Clacton Rd. Colc —6K 13
Clacton Rd. Elms —6E 14
Clacton Rd. Hol S —5E 30
Clacton Rd. Mann —4F 9
Clacton Rd. Thorr —7K 23
Clacton Rd. St O —7A 28
Clairmont Rd. Colc —6E 10
Clapgate Dri. L Cla —1F 29
Clara Reeve Clo. Colc —7F 11
Clare Clo. H'std —6A 34
Claremont Heights. Colc —2A 12
Claremont Rd. W'hoe —4A 22
Clarendon Pk. Clac S —6A 30
Clarendon Way. Colc —2A 12
Clare Way. Clac S —6E 28
Clarkesmead. Tip —6G 35
Clarke's Rd. Har —4E 24
Clarkia Wlk. Colc —4F 13
Claudius Rd. Colc —6C 12
Clayhall Rd. Clac S —6K 29
Clay La. St O —4A 28
Clay La. Gro. Colc —6F 5
Clays Rd. W on N —2E 26
Clayton Rd. R'sy —5B 24
Clearwater. Colc —7D 12
Clematis Way. Colc —4G 13
Cleveland Clo. H'wds —6E 4
Cliff Pde. W on N —7J 27
Cliff Rd. Har —4H 25
Cliff Rd. Hol S —6D 30
Cliff Way. Frin S —5F 27
Clifton Gro. Alr —5F 23
Clifton Ter. W'hoe —4K 21
Clive Rd. Colc —6B 12
Cloes La. Clac S —6E 28
Close, The. Frin S —5C 26
Close, The. Har —4F 25
Close, The. Jay —5E 32
Clough Rd. Colc —4F 5
Clover Ct. S'way —6D 10
Clover Dri. Thorr —7K 23
Cloverlands. Colc —1E 12
Clover Way. A'lgh —5K 5
Coach Rd. Alr —5F 23
Coach Rd. Gt Hork —2E 2
Coan Av. Clac S —3G 33
Coast Rd. W Mer —4A 36
Coats Hutton Rd. Colc —1H 19
Cockaynes La. Alr —4E 22
Cockett Wick La. St O —3A 32
Coeur De Lion. Colc —1B 12
Coggeshall Pieces. H'std —3D 34
Coggeshall Rd. Cogg & M Tey —3A 16
Coggeshall Rd. Ded —1D 6
Coggeshall Way. H'std —3D 34
Cohort Dri. Colc —2G 19
Coke St. Har —2J 25
Colchester Bus. Pk. Colc —4E 4
Colchester By-Pass. Colc —3H 11
Colchester By-Pass Rd. Colc —2C 12
Colchester By-Pass Rd. G Est —5G 13
Colchester Rd. A'lgh —3B 6
Colchester Rd. Colc —7H 5
Colchester Rd. C Hth —7D 6
Colchester Rd. Elms —5C 14
Colchester Rd. Frat & Wee —1K 23
Colchester Rd. H'std —3C 34
Colchester Rd. Hol S —6B 30
Colchester Rd. Law —4D 8
Colchester Rd. Tip —3H 35
Colchester Rd. W Ber —5E 2
Colchester Rd. W Mer —3D 36
Colchester Rd. W'hoe —6J 13
Colchester Rd. Wmgfd —1A 2
Cold Hall Chase. Elms —5J 15
Coles La. W on N —2E 26
College Ct. Mann —3E 8
College Rd. Clac S —1K 33
Coller Rd. Pkstn —2E 24
Collindale Gdns. Clac S —6B 30
Collingwood Rd. Clac S —3G 33
Collingwood Rd. Colc —5E 10
Colne Bank Av. Colc —3K 11
Colne Causeway. Colc —6F 13
Colne Ri. Rhdge —4H 21
Colne Rd. B'sea —6G 37
Colne Rd. Clac S —2J 33
Colne Rd. H'std —3C 34
Colne Ter. W'hoe —4K 21
Colne Valley Clo. H'std —3A 34
Colne Vw. Retail Pk. Colc —2C 12
Colthorpe Rd. Clac S —3J 29
Coltsfoot Ct. Colc —1J 11
Columbine Gdns. W on N —3F 27
Columbine M. S'way —4C 10
Colvin Clo. Colc —4F 11
Commerce Pk. Colc —7F 13
Commerce Way. Colc —7F 13
Commons, The. Colc —6F 11
Compton Rd. Colc —3D 12
Conder Way. Colc —7E 12
Coney Byes La. W Ber —3C 2
Conies Rd. H'std —5A 34
Conifer Clo. Alr —5D 22
Conifer Clo. Colc —3F 13
Connaught Av. Frin S —5D 26
Connaught Clo. Clac S —7A 30
Connaught Gdns. E. Clac S —7A 30
Connaught Gdns. W. Clac S —7A 30
Constable Av. Clac S —5E 28
Constable Clo. Law —3D 8
Constable Clo. M End —6A 4
Constable Clo. W Mer —4D 36
Constantine Rd. Colc —6K 11
Conway Clo. H'std —5A 34
Conway Clo. W'hoe —4A 22
Cook Clo. Har —6E 24
Cook Cres. Colc —4G 13
Cook La. Tip —6G 35
Cooks Clo. H'std —5C 34
Cooks Hall Rd. W Ber —7C 2
Coolyne Way. Clac S —4A 30
Coopers Cres. W Ber —6F 3
Coopers La. Clac S —1F 33
Cooper Wlk. Colc —3F 13
Copperas Rd. B'sea —7H 37
Copper Beeches. S'way —6D 10
Coppice End. H'wds —7D 4
Coppice Rd. Alr —4F 23
Coppingford End. Cop —1H 17
Coppins Rd. Clac S —7F 29
Copse, The. Colc —7B 4
Coralin Wlk. S'way —5C 10
Coriander Rd. Tip —6G 35
Coriolanus Clo. Colc —1G 19
Cornflower Clo. S'way —4C 10
Cornflower Rd. Jay —5D 32
Cornford Way. Law —3D 8
Cornwall Clo. Law —4D 8
Cornwalls Dri. M Tey —3C 16
Coronation Av. Colc —3C 20
Coronation Rd. Clac S —1F 33
Cortoncroft Clo. Kir X —3D 26
Cotman Av. Law —2D 8
Cotman Rd. Clac S —5G 29
Cotman Rd. Colc —6G 11
Cotswold Ct. H'wds —6E 4
Cotswold Rd. Clac S —6J 29
Cottage Dri. Colc —1E 20
Cottage Grn. Clac S —5F 29
Cottage Gro. Clac S —5F 29
Cottage Wlk. Clac S —5F 29
Cottonwood Clo. Colc —2K 19
Coulsdon Clo. Clac S —5F 29
Courtauld Clo. H'std —4C 34
Coventry Clo. Colc —3C 12
Coverts, The. W Mer —5D 36
Cowdray Av. Colc —2A 12
Cowdray Cen., The. Colc —2B 12
Cowdray Cres. Colc —4B 12
Cowslip Ct. S'way —4C 10
Cox Rd. Alr —4F 23
Cox's Hill. Law —4C 8
Crabtree. Kir S —2A 26
Crabtree La. W Ber —1C 2
Cracknell Clo. W'hoe —2K 21
Craigfield Av. Clac S —5J 29
Cranford Clo. Frin S —5C 26
Cranleigh Clo. Clac S —5E 28

40 A-Z Colchester

Fitzwalter Rd.—Helm Clo.

Fitzwalter Rd. Colc —5H 11
Fitzwilliam Rd. Colc —4H 11
Five Acres. W on N —2F 27
Five Ways. S'way —7D 10
Flagstaff Rd. Colc —5B 12
Flail Clo. Elms —5D 14
Flanders Fld. Colc —1D 20
Flatford Dri. Clac S —7E 28
Fleece Yd. H'std —3B 34
Fleetwood Av. Hol S —4C 30
Fleetwood Clo. Hol S —4D 30
Flixton Clo. Clac S —7D 28
Florence Rd. W on N —7H 27
Flowers Way. Jay —5D 32
Folkards La. B'sea —4H 37
Folley, The. Lay H —6G 19
Folley, The. S'way —6D 10
Folly, The. Tip —7K 35
Folly, The. W'hoe —5K 21
Ford La. Alr —7E 22
Fordham Rd. W Ber —3B 2
Ford La. Colc —6J 3
(in two parts)
Ford Rd. Clac S —1G 33
Ford Rd. Ind. Est. Clac S —1G 33
Fordwich Rd. B'sea —3G 37
Foresight Rd. Colc —2F 21
Forester's Ct. W'hoe —3K 21
Forest Park Av. Clac S —4J 29
Forest Rd. Colc —4F 13
Fossetts La. For —5A 2
Foster Rd. Har —2D 24
Foundry Ct. Mann —3E 8
Foundry La. Cop —1H 17
Fountain La. Cop —6J 17
Fourth Av. Clac S —7B 30
Fourth Av. Frin S —5D 26
Fourth Av. H'std —4E 34
Foxendale Folly. S'way —4C 10
Foxglove Wlk. Colc —4G 13
Frances Clo. W'hoe —2K 21
Francis Clo. Tip —6G 35
Francis St. B'sea —7H 37
Francis Way. Colc —2F 13
Frank Clater Clo. Colc —3D 12
Franklins Rd. Colc —1F 21
Frank Naylor Ct. Colc —4B 12
(off E. Stockwell St.)
Frating Hill. Frat —1H 23
Frating Pk. Cvn. Site. Frat —1K 23
Frating Rd. A'lgh —4D 6
Frating Rd. Frat —5K 15
Frating Rd. Thorr —4K 23
Freeland Rd. Clac S —3H 33
Freelands. B'sea —6K 37
Fremantle Rd. Colc —3D 20
Frensham Clo. S'way —4D 10
Frere Way. Fing —6K 21
Freshfields. Dov —6E 24
Friars Clo. Clac S —5H 29
Friars Clo. Colc —1E 12
Friars Clo. W'hoe —4A 22
Friars Ct. Colc —1E 20
Friday Wood Grn. Colc —4B 20
Frietuna Rd. Kir X —4C 26
Frinton Ct. Frin S —7D 26
Frinton Rd. Hol S —6B 30
Frinton Rd. Kir X —4A 26
Frobisher Dri. Jay —3C 32
Frobisher Rd. Har —6E 24
Frog Hall Clo. Fing —6K 21
Fronk's Av. Har —5H 25
Fronk's Rd. Har —4F 25
Frowick La. St O —1A 28
Fryatt Av. Har —3F 25
Fuchsia Way. Clac S —6F 29
Fuller's Rd. Colc —2F 21
Fulmar Clo. Colc —3J 13
Furneaux La. Fing —7H 21
Furrow Clo. S'way —6E 10
Furze Cres. Alr —5E 22

Gables, The. Har —4J 25
Gager Dri. Tip —5J 35
Gainsborough Clo. Clac S —5E 28
Gainsborough Clo. W Mer —5D 36
Gainsborough Dri. Law —3D 8
Gainsborough Rd. Colc —6G 11
Gainsford Av. Clac S —7A 30
Galloway Dri. L Cla —1F 29
Gap, The. Hol S —5F 31
Garden City. Law —5A 8
Garden Ct. Frin S —7D 26
Gardeners Rd. H'std —4C 34
Garden Farm. W Mer —4D 36
Gardenia Pl. Clac S —7E 28
Gardenia Wlk. Colc —4G 13
Garden Rd. Jay —5D 32
Garden Rd. W on N —3E 26
Garden Ter. H'std —3C 34
Garland Rd. Har —2E 24
Garlands Rd. B'ch —7D 18
Garling Wlk. W Ber —7E 2
Garret Pl. W Ber —6F 3
Garrod Ct. Colc —5D 20
Garthwood Clo. W Ber —6E 2
Gascoigne Rd. Colc —3E 12
Gatefield Clo. W on N —3D 26
Gavin Way. H'wds —4D 4
Gazelle Ct. Colc —6E 4
Gentian Ct. Colc —1J 11
Geoff Seaden Clo. Colc —5E 12
George Av. B'sea —5H 37
George Clo. Clac S —2F 33
George Cres. Jay —3C 32
George Cut. B'sea —6H 37
George St. Colc —4B 12
George St. Har —1J 25
Geranium Clo. Clac S —7F 29
Geranium Wlk. Colc —4F 13
Gerard Rd. Clac S —5F 29
Gernon Rd. A'lgh —3C 6
Gilberd Rd. Colc —6D 12
Gilbred Ct. H'wds —4E 4
Gilderdale Clo. Colc —7F 5
Gilders Way. Clac S —6F 29
Gilwell Pk. Clo. Colc —7G 11
Gipsy La. Har —6C 24
Glade, The. Colc —1G 13
Glade Vw. Clac S —4J 29
Gladiator Way. Colc —2G 19
Gladstone Rd. Colc —6D 12
Gladstone Rd. Tip —6H 35
Gladwin Rd. Colc —7J 11
Glebe Clo. Elms —5E 14
Glebelands. Gt Hork —1H 3
Glebe Rd. Colc —2J 19
Glebe Rd. Tip —5G 35
Glebe Way. Frin S —5D 26
Glebe Way. Jay —5D 32
Glen Av. Colc —4H 11
Glendale Gro. Colc —7E 4
Glentress Clo. Colc —7F 5
Glenway Clo. Gt Hork —1H 3
Glisson Sq. Colc —7H 11
Globe Clo. Tip —4H 35
Globe Wlk. Tip —4H 35
Gloucester Av. Colc —1J 19
Goodey Clo. Colc —6C 12
Godmans La. M Tey —3B 16
Godwin Clo. H'std —4A 34
Goings La. W Mer —5C 36
Goldcrest Clo. Colc —3H 13
Golden Dawn Way. Colc —1A 12
Golden Lion La. Har —2K 25
Golden Noble Hill. Colc —5C 12
Goldfinch Clo. Colc —4H 13
Golf Grn. Rd. Jay —4D 32
Goodfellow Gdns. H'std —3A 34
Goodlake Clo. Har —5E 24
Goojerat Rd. Colc —6K 11
Gordon Rd. Har —5G 25
Gordon Way. Har —5G 25
Goring Rd. Colc —2E 12
Gorse La. Tip —6H 35
Gorse La. Ind. Est. Clac S —3A 30
Gorse Wlk. Colc —4F 13
(in two parts)
Gorse Way. Jay —5C 32
Gorse Way. S'way —7D 10
Gosbecks Rd. Colc —1G 19
Gosbeck's Vw. Colc —2G 19
Gosfield Rd. Colc —4C 20
Gouldings Av. W on N —2F 27
Goy Grn. W'hoe —1A 22
Graces Wlk. Frin S —4E 26
Grafton Rd. Har —3J 25
Granchester Ct. H'wds —6E 4
Grange Clo. H'std —6B 34
Grange Clo. W on N —3E 26
Grange Farm Rd. Colc —7F 13
Grange Rd. Gt Hork —3H 3
Grange Rd. Har —5F 25
Grange Rd. Law —4H 7
Grange Rd. Tip —4F 35
Grange Way. Colc —7F 13
Grange Way Bus. Pk. Colc —1F 21
Grantham Ct. Colc —4C 12
Grantham Rd. Gt Hork —3H 3
Grantley Clo. Cop —1H 17
Granville Clo. W Ber —7E 2
Granville Rd. Clac S —1J 33
Granville Rd. Colc —6D 12
Granville Way. B'sea —5J 37
Grasby Clo. W'hoe —2K 21
Grasmere Gdns. Kir X —3D 26
Grassfields. Kir X —4C 26
Grassmere. H'wds —5D 4
Grass Rd. H'std —7A 34
Gravel Hill Way. Har —6E 24
Grayling Dri. Colc —2H 13
Gray Rd. Colc —5K 11
Grays Clo. W Mer —5C 36
Grays Cottage. Colc —4D 12
Gt. Bentley Rd. Frat —1K 23
Greate Ho. Farm Rd. Lay H —7G 19
Gt. Harrods. W on N —3E 26
Gt. Holland Comn. Rd. Hol S —1C 30
Gt. Tey Rd. L Tey —1A 16
Great Yd. H'std —5B 34
Greenacres. Clac S —6K 29
Greenacres. Colc —7A 4
Green Acres Rd. Lay H —7F 19
Greenfields. Frin S —3D 26
Greenfinch End. Colc —3H 13
Greenford Rd. Clac S —1F 33
Greenhurst Rd. B'sea —6J 37
Green La. A'lgh —3B 6
Green La. Colc —7G 5
(in two parts)
Green La. C Hth —2K 13
Green La. Gt Hork —4J 3
Green La. Mis —4F 9
Green La. Tip —4H 35
Green La. W on N —7H 27
Greenlawns. L Cla —1F 29
Greensmill. Law —2D 8
Greenstead Ct. Colc —5F 13
Greenstead Rd. Colc —4E 12
Greenstead Roundabout. Colc —5F 13
Green's Yd. Colc —4A 12
Green, The. Har —5D 24
Green, The. Mis —3H 9
Green, The. Ten —2E 32
Green Vw. Pk. Clac S —5K 29
Greenway. Frin S —5D 26
Greenway Clo. Clac S —4A 30
Greenway, The. Clac S —4A 30
Greenwood Gro. Colc —7E 4
Grendel Way. Hol S —5E 30
Grenfell Av. Hol S —4D 30
Grenfell Clo. Colc —2E 12
Gresley Clo. Colc —1B 12
Greville Clo. W on N —7J 27
Greystones Clo. Colc —1G 19
Grieves Ct. S'way —7C 10
Grimston Rd. Colc —7C 12
Grimston Way. W on N —3F 27
Groom Pk. Clac S —7H 29
Grosvenor Clo. Tip —5H 35
Grove Av. W on N —2F 27
Grove Av. W Mer —6C 36
Grove Cotts. Cop —4H 17
Grove Flats, The. W on N —2F 27
Grove Rd. Tip —5H 35
Grove, The. Clac S —2J 33
Grymes Dyke Ct. S'way —5E 10
Gryme's Dyke Way. S'way —1E 18
Guildford Rd. Colc —3C 12
Gunfleet Clo. W Mer —4B 36
Gurdon Rd. Colc —1B 20
Gurney Benham Clo. Colc —7H 11
Gwynne Rd. Har —3J 25
Gypsy La. Fee —7A 16

Haddon Pk. Colc —5E 12
Hadleigh Rd. Clac S —7E 28
Hadleigh Rd. Frin S —5D 26
Hadrian Clo. Colc —4D 4
Haggars La. Frat —1K 23
Halfacre La. Har —5F 25
Hall Chase. M Tey —3F 17
Hall Cotts., The. Cop —4J 17
Hall Cres. Hol S —5E 30
Hallcroft Chase. H'wds —6E 4
Hall Cut. B'sea —6H 37
Hall La. Har —5F 25
Hall La. W on N —7H 27
(in two parts)
Hall Rd. Cop —3J 17
Hall Rd. Gt Bro —7F 7
Hall Rd. Tip —6G 35
Hall Rd. W Ber —5C 2
Hall Rd. Cotts. W Ber —4D 2
Halstead Rd. Aldh & Eig G —3A 10
Halstead Rd. Kir X —4A 26
Halstead Rd. Lex H —4B 10
Hamford Clo. W on N —7H 27
Hamilton Rd. Colc —6K 11
Hamilton Rd. W'hoe —4K 21
Hamilton St. Har —2E 24
Hamlet Dri. Colc —4H 13
Hampstead Av. Clac S —6G 29
Hanbury Gdns. H'wds —5D 4
Handel Wlk. Colc —5G 13
Handy Fisher Ct. Colc —7H 11
Hangings, The. Har —3G 25
Hankin Av. Dov —6B 24
Hanningfield Way. H'wds —5D 4
Hanover Ct. Har —4H 25
Hanover Ct. W on N —2E 26
Hanwell Clo. Clac S —6G 29
Harborough Hall La. Mess —1J 35
Harbour Cres. Har —2K 25
Harcourt Av. Har —3F 25
Harebell Clo. H'wds —7D 4
Harman Wlk. Clac S —6F 29
Harold Clo. H'std —4C 34
Harold Gro. Frin S —6D 26
Harold Rd. Clac S —1J 33
Harold Rd. Frin S —6D 26
Harold Way. Frin S —6D 26
Harrison Rd. Colc —1B 20
Harrow Rd. Clac S —7J 29
Harsnett Rd. Colc —6D 12
Hart's La. A'lgh —1H 5
Harvard Ct. Colc —6D 4
Harvest Ct. Gt Hork —1H 3
Harvest End. S'way —6D 10
Harvest Way. Elms —5D 14
Harvey Clo. Law —3D 8
Harvey Cres. S'way —7C 10
Harvey Rd. Colc —2H 19
Harvey Rd. W'hoe —3K 21
Harvey St. H'std —3C 34
Harwich Ind. Est. Pkstn —2E 24
Harwich Rd. A'lgh —2C 6
Harwich Rd. Colc —3E 12
Harwich Rd. C Hth —6K 5
(in two parts)
Harwich Rd. Frat —5H 15
Harwich Rd. L Oak —7B 24
Harwich Rd. Mis —4J 9
Harwood Clo. Colc —7C 12
Haslemere Gdns. Kir X —3D 26
Hastings Av. Clac S —4F 33
Hastings Pl. B'sea —4H 37
Hastings Rd. Colc —7G 11
Hatchcroft Gdns. Elms —5E 14
Haubourdin Ct. H'std —3D 34
Haven Av. Hol S —5F 31
Haven Rd. Colc —6F 13
Haven, The. Har —4E 24
Havering Clo. Clac S —4H 29
Havering Clo. Colc —2D 12
Hawfinch Rd. Lay H —7G 19
Hawkendon Rd. Clac S —7D 28
Hawkes Way. Clac S —5J 29
Hawkins Rd. Alr —4F 23
Hawkins Rd. Colc —5F 13
Hawlmark End. M Tey —3C 16
Hawthorn Av. Colc —3G 13
Hawthorn Rd. Clac S —4H 29
Hawthorns. Frin S —3D 26
Haye La. Fing —7E 20
Hayes Rd. Clac S —2H 33
Haynes Grn. Rd. Lay M —1K 35
Haywain, The. S'way —6D 10
Hayward Ct. Colc —4E 12
Hazell Av. Colc —1G 19
Hazelton Rd. Colc —2F 13
Hazelville Clo. Har —6D 24
Hazelwood Cres. L Cla —2F 29
Hazlemere Rd. Hol S —7B 30
Headgate. Colc —5A 12
Head St. Colc —4A 12
Head St. H'std —3C 34
Head St. Rhdge —4J 21
Heather Clo. Clac S —4A 30
Heather Clo. Lay H —7F 19
Heather Dri. Colc —6F 11
Heathfields. Eig G —3A 10
Heathfield Ter. W on N —2F 27
Heathlands. Thorr —7K 23
Heath Rd. Alr —4F 23
Heath Rd. Colc —6F 11
Heath Rd. For H —2A 10
Heath Rd. Mis —5K 9
Heath Rd. Rhdge —4H 21
Heath Rd. S'way —7D 10
Heath Rd. St O —2A 28
Heath Rd. W'hoe —2K 21
Heath, The. Lay H —6G 19
Heatley Way. Colc —3H 13
Heaton Way. Tip —4H 35
Heckworth Clo. Colc —4E 4
Hedge Dri. Colc —1H 19
Hedgelands. Cop —1H 17
Hedingham Rd. H'std —1A 34
Helm Clo. Gt Hork —3J 3

42 A-Z Colchester

Hendon Clo. *Clac S* —6G **29**
Henley Ct. *Colc* —5F **11**
Henrietta Clo. *W'hoe* —1A **22**
Henry Clo. *Clac S* —2F **33**
Herbert Rd. *Clac S* —1H **33**
Hereford Ct. *Clac S* —6D **30**
Hereford Clo. —4C **12**
Hereford Rd. *Hol S* —6D **30**
Hereward Clo. *W'hoe* —1A **22**
Heron Glade. *Clac S* —4J **29**
Heronsgate. *Frin S* —4D **26**
Heron Way. *Frin S* —4C **26**
Herrick Pl. *Colc* —5G **11**
Hervilly Way. *W on N* —3F **27**
Hetherington Clo. *Colc* —4C **20**
Hewes Clo. *Colc* —4H **13**
Hewitt Rd. *R'sy* —6B **24**
Heycroft Way. *Tip* —4H **35**
Hickory Av. *Colc* —4F **13**
Highbirch Rd. *Wee H* —1A **28**
Highbury Ter. *H'std* —3C **34**
Highclere Rd. *H'wds* —6D **4**
Highfield Av. *Har* —4G **25**
Highfield Dri. *Colc* —5J **11**
Highfields. *H'std* —5B **34**
Highlands Chalet Pk. *Clac S* —4K **29**
High Rd. *Lay H* —7F **19**
High St. Brightlingsea, *B'sea* —6H **37**
High St. Clacton-on-Sea, *Clac S* —2J **33**
High St. Colchester, *Colc* —4A **12**
High St. Halstead, *H'std* —3B **34**
High St. Harwich, *Har* —3J **25**
High St. Manningtree, *Mann* —3F **9**
High St. Mistley, *Mis* —3H **9**
High St. Rowhedge, *Rhdge* —4J **21**
High St. Walton-on-the-Naze, *W on N* —2G **27**
High St. West Mersea, *W Mer* —5B **36**
High St. Wivenhoe, *W'hoe* —4K **21**
High Tree La. *W on N* —7H **27**
High Vw. Av. *Clac S* —5H **29**
High Vw. Clo. *Clac S* —5H **29**
Highwoods App. *Colc* —6D **4**
Highwoods Sq. *H'wds* —7D **4**
Hillcrest. *Clac S* —5K **29**
Hillcrest. *Kir S* —2B **26**
Hillcrest Ct. *Har* —4H **25**
Hill Ho. Ct. *B'sea* —5J **37**
Hillman Av. *Jay* —6B **32**
Hillridge. *H'wds* —7D **4**
Hill Rd. *Clac S* —5H **29**
Hill Rd. *Har* —3H **25**
Hills Cres. *Colc* —6G **11**
Hillside. *Frin S* —6C **26**
Hillside Cres. *Hol S* —5B **30**
Hillston Clo. *Colc* —2D **20**
Hilltop Clo. *Colc* —7F **13**
Hillview Clo. *Rhdge* —4H **21**
Hilton Clo. *Mann* —3F **9**
Hitherwood Rd. *Colc* —2J **19**
Hoe Dri. *Colc* —6G **11**
Hogarth Clo. *W Mer* —5D **36**
Hogarth End. *Kir X* —3C **26**
Holborough Clo. *Colc* —4H **13**
Holbrook Clo. *Clac S* —7E **28**
Holden Rd. *Colc* —1B **12**
Holland Pk. *Clac S* —7K **29**
Holland Rd. *Clac S* —2J **33** (in two parts)
Holland Rd. *Frin S* —7C **26**
Holland Rd. *Kir X* —4A **26**
Holland Rd. *Clac S* —1A **33**
Holledge Cres. *Kir X* —4C **26**
Holliwell Clo. *S'way* —5D **10**
Holly Clo. *Colc* —2J **19**
Hollymead Clo. *Colc* —7B **4**
Holly Rd. *S'way* —6C **10**
Hollytree Ct. *Colc* —1J **19**
Holly Way. *Elms* —6D **14**
Hollyway. *Tip* —5G **35**
Holman Cres. *Colc* —7G **11**
Holman Rd. *H'std* —5B **34**
Holmbrook Way. *Frin S* —5C **26**
Holmer Ct. *Colc* —5A **12**
Holmes Rd. *H'std* —5B **34**
Holm Oak. *Colc* —1C **20**
Holmwood Clo. *Clac S* —5E **28**
Holt Dri. *Colc* —5C **20**
Holyrood. *Har* —5E **24**
Home Farm La. *A'lgh* —1E **6**
Homefield Rd. *Colc* —3J **19**
Homerton Clo. *Clac S* —6G **29**
Homestead Gdns. *Clac S* —5H **29**
Honeycroft. *Law* —4B **8**
Honeysuckle Way. *Colc* —3G **13**
Honeywood Rd. *H'std* —2C **34**

Honorius Dri. *H'wds* —4D **4**
Honywood Clo. *M Tey* —3C **16**
Honywood Rd. *Colc* —5K **11**
Honywood Way. *Kir X* —3D **26**
Hopkins Clo. *Kir X* —4D **26**
Hopper Wlk. *Colc* —5F **13**
Hordle Pl. *Har* —3J **25**
Hordle St. *Har* —3J **25**
Horkesley Rd. *Boxt* —2K **3**
Horley Clo. *Clac S* —5F **29**
Hornbeam Clo. *Colc* —2K **19**
Hornbeams, The. *L Oak* —7A **24**
Horrocks Clo. *Colc* —7C **12**
Horsey Rd. *Kir S* —2A **26**
Hospital La. *Colc* —5K **11**
Hospital Rd. *Colc* —5K **11**
Howard Av. *Har* —5E **24**
Howard Rd. *Hol S* —7B **30**
Howards Cft. *Colc* —5K **3**
Howard Vyse Ct. *Colc* —5H **29**
Howe Chase. *H'std* —1B **34**
Howe Clo. *Colc* —4F **13**
Hoxton Clo. *Clac S* —6G **29**
Hubbards Chase. *W on N* —2F **27**
Hubert Rd. *Colc* —3H **11**
Hucklesbury Av. *Hol S* —4D **30**
Hudson Clo. *Clac S* —6F **29**
Hudson Rd. *Har* —6F **25**
Hugh Dickson Rd. *Colc* —1A **12**
Hughes Stanton Way. *Law* —3D **8**
Humber Av. *Jay* —6B **32**
Hungerdown La. *A'lgh* —3G **7**
Hunt Dri. *Clac S* —6G **29**
Hunter Dri. *Law* —4D **8**
Hunters Corner. *Colc* —6F **11**
Hunters Ridge. *H'wds* —6D **4**
Huntingdon Way. *Clac S* —5H **29**
Hunting Ga. *Colc* —4E **12**
Hunt Way. *Kir X* —4C **26**
Hunwicke Rd. *Colc* —4G **13**
Hurnard Dri. *Colc* —4G **11**
Hurrell Down. *H'wds* —6C **4**
Hurst Clo. *B'sea* —6J **37**
Huxtable La. *For H* —2A **10**
Hyacinth Clo. *Clac S* —7F **29**
Hyams Way. *Colc* —5B **12**
Hythe Clo. *Clac S* —4G **33**
Hythe Gro. *B'sea* —3G **37**
Hythe Hill. *Colc* —5E **12**
Hythe Quay. *Colc* —5E **12**
Hythe Sta. Rd. *Colc* —5E **12**

Iceni Way. *Colc* —1H **19**
Ilex Clo. *Colc* —2K **19**
Imogen Clo. *Colc* —4H **13**
Imphal Clo. *Colc* —3J **19**
Ingarfield Rd. *Hol S* —5D **30**
Ingestre St. *Har* —3J **25**
Inglenook. *Clac S* —4K **29**
Inglis Rd. *Colc* —5K **11**
Ingrams Piece. *A'lgh* —2C **6**
Inworth Wlk. *Colc* —3C **20**
Inverness Clo. *Colc* —3C **12**
Ipswich Rd. *Bran* —2D **8**
Ipswich Rd. *Colc & L'ham* —4D **12**
Ipswich Rd. *Colc* —5C **30**
Ireton Rd. *Colc* —5B **12**
Iron Latch La. *S'way* —3C **10**
Irvine Rd. *Colc* —7J **11**
Isbourne Rd. *Colc* —4H **13**
Island La. *Kir X* —2C **26**
Ivor Brown Ct. *H'wds* —6D **4**
Ivy Lodge Rd. *Gt Hork* —2J **3**

Jack Andrews Dri. *H'wds* —5E **4**
Jack Hatch Way. *W'hoe* —1J **21**
Jackson Ho. *H'wds* —4D **4**
Jackson Rd. *Clac S* —2H **33**
Jackson Wlk. *Colc* —7D **12**
Jacqueline Ct. *Colc* —4G **11** (off Lexden Rd.)
James Carter Rd. *Colc* —1E **18**
James Clo. *W'hoe* —1A **22**
Jameson Rd. *Clac S* —1F **33**
James Rd. *Clac S* —2F **33**
James St. *B'sea* —6H **37**
James St. *Colc* —5C **12**
Jarmin Rd. *Colc* —3B **12**
Jasmine Clo. *Colc* —4J **13**
Jasmine Way. *Jay* —5D **32**
Jays La. *M Tey* —3D **16**
Jays, The. *H'wds* —7D **4**
Jaywick La. *Clac S* —7D **28**
Jefferson Clo. *Colc* —6E **10**
Jeffrey Clo. *Colc* —6F **11**
Jennings Clo. *Colc* —5E **12**

Jessica Clo. *Colc* —4H **13**
John Ball Wlk. *Colc* —4B **12**
John Belcher Wlk. *Colc* —5G **13**
John Harper St. *Colc* —3A **12**
John Kent Av. *Colc* —2H **19**
Johnson's Dri. *Elms* —5E **14**
Johnston Clo. *H'std* —5C **34**
Johnston Clo. *Hol S* —6D **30**
John St. *B'sea* —6H **37**
Jonquil Way. *Colc* —1J **11**
Jubilee Av. *Clac S* —4H **29**
Jubilee Clo. *Har* —4G **25**
Jubilee La. *A'lgh* —7A **6**
Jubilee End. *Law* —2E **8**
Jubilee Way. *Frin S* —4D **26**
Julian Av. *Colc* —4J **11**
Juniper Clo. *H'std* —5A **34**
Juniper Rd. *S'way* —6C **10**
Juniper Way. *Clac S* —7F **13**
Juno M. *Colc* —3J **19**

Kale Cft. *S'way* —6D **10**
Keable Rd. *M Tey* —3C **16**
Keating Clo. *Law* —3D **8**
Keats Rd. *Colc* —5F **11**
Keble Clo. *Colc* —5K **11**
Keeble Clo. *Tip* —5J **35**
Keelars La. *W'hoe* —3B **22**
Keelers Way. *Gt Hork* —3H **3**
Keepers Grn. *B'wck* —7H **4**
Keith Clo. *Clac S* —3A **30**
Kelso Clo. *Gt Hork* —4J **3**
Kelvedon Rd. *K'dn* —3F **35**
Kelvedon Rd. *Mess* —1F **35**
Kelvin Ct. *Frin S* —7D **26**
Ken Cooke Ct. *Colc* —4B **12**
Kendall Rd. *Colc* —5C **12**
Kendall Rd. Folley. —5C **12**
Kendall Ter. *Colc* —5C **12**
Kenilworth Rd. *Hol S* —5D **30**
Kennedy Way. *Clac S* —6K **29**
Kent Clo. *B'sea* —5H **37**
Kentmere. *Colc* —7G **5**
Kent's Av. *Hol S* —5D **30**
Kerridge's Cut. *Mis* —3J **9**
Kerry Ct. *Colc* —4E **12**
Kersey Dri. *Clac S* —6E **28**
Kestrel Way. *Clac S* —5J **29**
Keswick Av. *Hol S* —5B **30**
Keswick Clo. *Kir X* —3D **26**
Keymer Way. *Colc* —7F **11**
Keynes Way. *Har* —6E **24**
Key Rd. *Clac S* —1H **33**
Kilburn Gdns. *Clac S* —6G **29**
Kildermorie Clo. *Colc* —7F **5**
Kilmaine Rd. *Har* —6E **24**
Kiln Barn Av. *Clac S* —4J **29**
Kimberley Rd. *Colc* —6D **12**
King Charles Rd. *W Mer* —5D **36**
King Coel Rd. *Colc* —4D **10**
King Edward Quay. *Colc* —6F **13**
Kingfisher Clo. *Colc* —3H **13**
Kingfishers. *Clac S* —5J **29**
King George Rd. *Colc* —7B **12**
King George's Av. *Har* —3G **25**
King Harold Rd. *Colc* —7G **11**
Kings Av. *Hol S* —6B **30**
Kingsbury Clo. *M Tey* —3D **16**
Kings Clo. *Clac S* —2H **33**
Kings Ct. *Har* —4G **25**
Kings Ct. *Tip* —3G **35**
Kings Head Ct. *Clac S* —3B **12**
King's Head St. *Har* —1J **25**
Kingsland Beach. *W Mer* —6C **36**
Kingsland Clo. *W Mer* —6C **36**
Kingsland Rd. *W Mer* —6C **36**
Kingsman Dri. *Clac S* —5F **29**
Kings Mdw. Rd. *Colc* —3B **12**
Kingsmere Clo. *W Mer* —5D **36**
Kings M. *W Mer* —7A **14**
Kings Pde. *Hol S* —4H **33**
Kings Quay St. *Har* —1K **25**
King's Rd. *Clac S* —3G **33**
Kings Rd. *H'std* —4B **34**
King's Rd. *Har* —4G **25**
King Stephen Rd. *Colc* —5D **12**
Kingsway. *Har* —3J **25**
Kingsway. *Tip* —4G **35**
Kingswood Rd. *Colc* —6B **4**
Kingwell Av. *Clac S* —6H **29**
Kinlett Clo. *H'wds* —6D **4**
Kino Rd. *W on N* —2H **27**
Kirby Rd. *Gt Hol* —4A **26**
Kirby Rd. *W on N* —2D **26**
Kirkbaye. *Kir X* —4C **26**
Kirkhurst Clo. *B'sea* —6J **37**
Knightsbridge. *Colc* —1J **19**

Knights Clo. *Law* —3E **8**
Knights Clo. *Tip* —7K **35**
Knowles Clo. *H'std* —4B **34**
Knox Gdns. *Clac S* —6H **29**
Knox Rd. *Clac S* —6H **29**
Kohima Rd. *Colc* —3H **19**
Kreswell Gro. *Har* —5G **25**

Laburnum Clo. *Clac S* —1F **33**
Laburnum Cres. *Kir X* —4B **26**
Laburnum Gro. *Colc* —3G **13**
Ladbrook Rd. *Colc* —1C **20**
Ladbrooke Rd. *Clac S* —5G **29**
Ladell Clo. *Colc* —1E **18**
Ladysmith Av. *B'sea* —5G **37**
Laing Rd. *Colc* —5G **13**
Lake Av. *Clac S* —1F **33**
Lake Wlk. *Clac S* —1F **33**
Lake Way. *Jay* —6C **32**
Lambeth Wlk. *Clac S* —6H **29**
Lambourne Clo. *Clac S* —3J **29**
Lambourne Clo. *S'way* —7D **10**
Lammas Way. *W'hoe* —2A **22**
Lancaster Gdns. E. *Clac S* —7K **29**
Lancaster Gdns. W. *Clac S* —7K **29**
Lanchester Av. *Jay* —6A **32**
Lancia Av. *Jay* —6B **32**
Land Clo. *Clac S* —6F **29**
Land La. *Colc* —4C **12**
Landseer Rd. *Colc* —6H **11**
Lane, The. *Clac S* —1F **33**
Lane, The. *Mann* —3H **9**
Lane, The. *W Mer* —4A **36**
Langdale Dri. *H'wds* —6D **4**
Langham Dri. *Clac S* —7E **28**
Langham La. *L'ham* —2C **4**
Langham Lodge La. *L'ham* —2G **5**
Langham Pl. *H'wds* —7D **4**
Langham Rd. *Boxt* —1B **4**
Langley Dri. *Dov* —4H **25**
Langwood. *W Mer* —4C **36**
Lansdowne Clo. *Tip* —4G **35**
Lanvalley Rd. *Colc* —5E **10**
Larch Clo. *Colc* —3F **13**
Larksfield Cres. *Har* —3G **25**
Lark Way. *Kir X* —3C **26**
Larneys, The. *Kir X* —3C **26**
Launceston Clo. *Colc* —3D **20**
Laurel Av. *Har* —5E **24**
Laurel Clo. *Clac S* —4A **30**
Laurence Clo. *Elms* —5D **14**
Lavender Clo. *Tip* —6G **35**
Lavender Wlk. *Jay* —5D **32**
Lavender Way. *Colc* —1J **11**
Lavenham Clo. *Clac S* —7E **28**
Lawns Clo. *W Mer* —4C **36**
Laxton Ct. *Colc* —7G **11**
Laxton Rd. *Alr* —4F **23**
Layer Ct. *Colc* —7K **11**
Layer Cross. *Lay H* —7F **19**
Layer Rd. *Abb* —7A **20**
Layer Rd. *Lay H* —6H **19**
Leam Clo. *Colc* —4H **13**
Lea Side. *W Mer* —5D **36**
Leas La. *Lay H* —6D **18**
Leas Rd. *Clac S* —3F **33**
Leas Rd. *Colc* —3J **19**
Leas, The. *Frin S* —4F **27**
Le Cateau Rd. *Colc* —5A **12**
Leech's La. *Colc* —6K **3**
Lee Rd. *Har* —4H **25**
Leicester Clo. *Colc* —3C **12**
Leicester Clo. *Jay* —7J **31**
Les Bois. *Lay H* —7G **19**
Lethe Gro. *Colc* —4B **20**
Lexden Clo. *Colc* —4J **11**
Lexden Gro. *Colc* —5F **11**
Lexden Rd. *W Ber* —7D **2**
Ley Fld. *M Tey* —3C **16**
Leys Dri. *L Cla* —2F **29**
Leys Rd. *W'hoe* —1A **22**
Leyton Ct. *Clac S* —3J **29**
Lichfield Clo. *Colc* —3C **12**
Lilac Ct. *W'hoe* —2J **21**
Lilac Tree Ct. *Colc* —3G **13**
Lilley's La. *A'lgh* —6G **7**
Lime Av. *Colc* —3F **13**
Lime Av. *Har* —4G **25**
Lime Clo. *Clac S* —1F **33**
Lime Ct. *Har* —4G **25**
Lime St. *B'sea* —7H **37**
Lincoln Av. *Jay* —6A **32**
Lincoln La. *Gt Hork* —1J **3**
Lincoln Way. *Colc* —4C **12**
Linden Clo. *Colc* —2D **20**
Linden Clo. *Law* —4D **8**
Linden Dri. *Clac S* —5H **29**

Link Clo. *Colc* —6A **4**
Link Rd. *B'sea* —6J **37**
Link Rd. *Clac S* —2G **33**
Link Rd. *H'std* —5A **34**
Linley Gdns. *Clac S* —2G **33**
Linnets. *Colc* —6J **11**
Linstead Clo. *Clac S* —7D **28**
Lion Wlk. *Colc* —4B **12**
Lion Wlk. Shop. Cen. *Colc* —4B **12**
Lisle Rd. *Colc* —6C **12**
Litchfield. *Har* —5D **24**
Litchfield Clo. *Clac S* —6H **29**
Lit. Bakers. *W on N* —3E **26**
Lit. Bromley Rd. *A'lgh* —3D **6**
Lit. Bromley Rd. *Gt Bro* —7J **7**
Littlebury Gdns. *Colc* —7E **12**
Lit. Clacton By-Pass. *Wee* —1E **28**
Lit. Clacton Rd. *Clac S* —4E **28**
Lit. Clacton Rd. *Gt Hol* —1C **30**
Littlecotes. *M End* —6K **3**
Littlefield Clo. *Colc* —2J **19**
Littlefield Rd. *Colc* —2J **19**
Lit. Harrods. *W on N* —3E **26**
Littlestone Ct. *Clac S* —4G **33**
Lit. Wood. *Kir X* —3H **3**
Lockhart Av. *Colc* —4J **11**
Lock Rd. *H'std* —5B **34**
Lodge Clo. *Clac S* —7H **29**
Lodge Clo. *L Oak* —7B **24**
Lodge Ct. *W Ber* —6F **3**
Lodge Farm La. *St O* —7A **28**
Lodge La. *A'lgh* —4J **5**
(in two parts)
Lodge La. *B'sea* —5F **37**
Lodge La. *L'ham* —2E **4**
Lodge Rd. *B'sea* —5G **37**
Lodge Rd. *L Oak* —7B **24**
Lodge Rd. *L Clacton* —1A **30**
London Rd. *Colc* —5C **10**
London Rd. *Ethpe* —5B **16**
London Rd. *Gt Hork & L Hork* —2E **2**
London Rd. *K'dn* —7A **16**
London Rd. *L Cla* —1G **29**
London Rd. *M Tey & S'way* —2G **17**
Longacre. *Colc* —1A **12**
Longcroft Rd. *Colc* —3E **12**
Longdryve. *Colc* —7J **11**
Long Grn. *M Tey* —3B **16**
Long La. *Frin S* —7A **26**
Long Meadows. *Har* —5D **24**
Longridge. *Colc* —2H **13**
Long Rd. *Law* —4D **8**
Longstraw Clo. *S'way* —5D **10**
Long Wyre St. *Colc* —4B **12**
Lord Holland Rd. *Colc* —1B **20**
Lordswood Rd. *Colc* —2J **19**
Lorkin Way. *W Ber* —6F **3**
Lotts Yd. *Colc* —5D **12**
Louise Clo. *W on N* —6J **27**
Louvain Rd. *Har* —6F **25**
Love La. *B'sea* —4G **37**
Love Way. *Clac S* —6F **29**
Lowe Chase. *W on N* —2F **27**
Lwr. Green Gdns. *B'sea* —6H **37**
Lwr. Marine Pde. *Har* —5G **25**
Lwr. Park Rd. *B'sea* —6G **37**
Lower Rd. *Lay B* —7A **18**
Low Rd. *Har* —6D **24**
Lucas Rd. *Colc* —5B **12**
Lucerne Rd. *Elms* —5E **14**
Lucy Clo. *S'way* —5C **10**
Lucy La. N. *S'way* —4B **10**
Lucy La. S. *S'way* —4C **10**
Luff Way. *W on N* —3D **26**
Lufkin Rd. *Colc* —7B **4**
Lugar Clo. *Colc* —5G **13**
Lulworth Clo. *Clac S* —4F **33**
Lumber Leys. *W on N* —3E **26**
Lupin Way. *Clac S* —7F **29**
Lushington Av. *Kir X* —4B **26**
Lushington Rd. *Mann* —3E **8**
Lydgate Clo. *Law* —4D **8**
Lymington Av. *Clac S* —3J **29**
Lyndhurst Rd. *Hol S* —4B **30**
Lynne Clo. *Kir X* —4B **26**
Lynton Clo. *Har* —3G **25**
Lyon Clo. *Clac S* —7K **29**

Mabbitt Way. *H'wds* —5D **4**
Macbeth Clo. *Colc* —4H **13**
Mackay Ct. *Colc* —3D **20**
Madeira Rd. *Hol S* —7B **30**
Magazine Farm Way. *Colc* —5G **11**
Magdalen Grn. *Colc* —5D **12**
Magdalen Rd. *Clac S* —7H **29**
Magdalen St. *Colc* —5C **12**

Magnolia Dri. *Colc* —3G **13**
Maidenburgh St. *Colc* —4B **12**
(in three parts)
Main Rd. *Dov* —5D **24**
Main Rd. *Frat* —1J **23**
Main Rd. *Gt Hol* —1F **31**
Main Rd. *Har* —3J **25**
Main Rd. *R'sy* —6A **24**
Main Rd. *Wmgfd* —1A **2**
Makins Rd. *Har* —2E **24**
Maldon Rd. *B'ch & H Bri* —7A **18**
Maldon Rd. *Colc* —6J **11**
Maldon Rd. *Tip* —7F **35**
Maldon Way. *Clac S* —7E **28**
Mallard Clo. *Lay H* —7G **19**
Mallows Fld. *H'std* —3C **34**
Malthouse Rd. *Mann* —3F **9**
Malting Farm La. *A'lgh* —1A **6**
Malting Grn. Rd. *Lay H* —7F **19**
Malting La. *Kir S* —1A **26**
Malting Rd. *Colc* —3J **19**
Maltings Pk. Rd. *W Ber* —6F **3**
Maltings Rd. *B'sea* —4G **37**
Malting Yd. *W'hoe* —4K **21**
Malvern Way. *Gt Hork* —3H **3**
Manchester Rd. *Hol S* —5D **30**
Mandeville Rd. *Har* —3C **16**
Mandeville Way. *Kir X* —3D **26**
Manfield. *H'std* —3C **34**
Manor Clo. *Gt Hork* —3J **3**
Manor Gdns. *Colc* —4K **11**
Manor Ho. Way. *B'sea* —5G **37**
Manor La. *Har* —5F **25**
(in two parts)
Manor Rd. *Colc* —4K **11**
Manor Rd. *Har* —4F **25**
Manor Rd. *W Ber* —5E **2**
Manor Rd. *W'hoe* —3A **22**
Manor Way. *Clac S* —5F **31**
(in two parts)
Maple Clo. *Clac S* —1E **32**
Maple Clo. *H'std* —3D **34**
Maple Clo. *Har* —4H **25**
Maple Dri. *Kir X* —4B **26**
Maple Leaf. *Tip* —3G **35**
Maple Way. *Colc* —7C **12**
Marasca Rd. *Colc* —5C **20**
Maraschino Cres. *Colc* —5C **20**
Marennes Cres. *B'sea* —5G **37**
Mareth Rd. *Colc* —2J **19**
Margaret Clo. *B'sea* —6J **37**
Margaret Rd. *Colc* —3A **12**
Maria St. *Har* —2J **25**
Marigold Av. *Clac S* —6F **29**
Marigold Clo. *Colc* —3G **13**
Marina Gdns. *Clac S* —6B **30**
Marina M. *W on N* —6G **27**
Marine Ct. *Frin S* —6D **26**
Marine Pde. *Har* —4H **25**
Marine Pde. E. *Clac S* —2J **33**
Marine Pde. W. *Clac S* —4G **33**
Marion Av. *Clac S* —5H **29**
Market Hill. *H'std* —3B **34**
Market St. *Har* —1K **25**
Marks Tey Roundabout. *M Tey* —2E **16**
Mark Ter. *Clac S* —5E **28**
Marlborough Clo. *Clac S* —1F **33**
Marlowe Rd. *Jay* —3D **32**
Marlowe Way. *Colc* —5F **11**
Marne Rd. *Colc* —7A **12**
Marney Way. *Frin S* —4F **27**
Marram Clo. *S'way* —5B **10**
Marsh Cres. *Rhdge* —4J **21**
Marsh Farm La. *Alr* —5C **22**
Marsh La. *Har* —7E **24**
Marsh Way. *B'sea* —6G **37**
Martello Cvn. Pk. *W on N* —1F **27**
Martello Holiday Pk. *W on N* —2G **27**
Martello Rd. *W on N* —2G **27**
Martello Tower Est. *St O* —7G **37**
Martin End. *Lay H* —7G **19**
Martinsdale. *Clac S* —5J **29**
Martin's Rd. *H'std* —4B **34**
Maryborough Gro. *Colc* —2D **20**
Maryland Ct. *Colc* —3C **20**
Mary La. N. *Gt Bro* —3K **15**
Mary Warner Rd. *A'lgh* —3C **6**
Masefield Dri. *Colc* —5F **11**
Mason Clo. *Colc* —1H **19**
Mason Rd. *Clac S* —1E **32**
Mason Rd. *Colc* —2B **12**
Matthews Clo. *H'std* —2D **34**
Maudlyn Rd. *Colc* —5E **12**
Mayberry Wlk. *Colc* —1C **20**
Maybury Clo. *M Tey* —3D **16**
Mayda Clo. *H'std* —4A **34**
Mayes La. *R'sy* —6A **24**

Mayfair Ct. *Colc* —7E **12**
Mayfield Clo. *Colc* —2E **12**
Mayflower Av. *Har* —2K **25**
Mayflower Clo. *S'way* —5D **10**
Mayford Way. *Clac S* —5E **28**
Maypole Grn. Rd. *Colc* —3J **19**
Maypole Rd. *Tip* —4G **35**
Meadow Brook Ct. *Colc* —4D **12**
Meadow Clo. *Clac S* —4A **30**
Meadow Clo. *Gt Bro* —6B **15**
Meadow Clo. *H'std* —5C **34**
Meadowcroft Way. *Kir X* —3D **26**
Meadow Grass Clo. *S'way* —5B **10**
Meadow La. *W Mer* —6C **36**
Meadow Rd. *Colc* —3K **19**
Meadow Vw. Clo. *S'way* —6E **10**
Meadow Way. *Jay* —4D **32**
Mead, The. *B'sea* —4H **37**
Meadway. *Law* —4D **8**
Mede Way. *W'hoe* —1A **22**
Meers, The. *Kir X* —4C **26**
Melbourne Chase. *Colc* —3D **20**
Melbourne Rd. *Clac S* —7G **29**
Mellor Chase. *Colc* —4E **10**
Melrose Gdns. *Clac S* —6B **30**
Melrose Rd. *W Mer* —5C **36**
Melton Clo. *Clac S* —7D **28**
Mendlesham Clo. *Clac S* —7E **28**
Menin Rd. *Colc* —7K **11**
Mercers Way. *Colc* —3A **12**
Mercury Clo. *Colc* —1G **19**
Meredith Rd. *Clac S* —1H **33**
Meriden Ct. *Clac S* —6K **29**
Merivale Clo. *Law* —4D **8**
Merivale Rd. *Law* —4D **8**
Merlin End. *Colc* —2H **13**
Merrilees Cres. *Hol S* —5C **30**
Merrymount Gdns. *Clac S* —6A **30**
Mersea Av. *W Mer* —5B **36**
Mersea Rd. *B'hth & Lang* —4D **20**
Mersea Rd. *Colc* —5B **12**
Merstham Dri. *Clac S* —5F **29**
Merton Ct. *Colc* —5C **20**
Messines Rd. *Colc* —7K **11**
Messing Rd. *Tip* —3G **35**
Mews, The. *Frin S* —6D **26**
Meyrick Cres. *Colc* —6B **12**
Michaelstowe Clo. *Har* —5B **24**
Michaelstowe Dri. *Har* —5B **24**
Middleborough. *Colc* —3A **12**
(in two parts)
Middlefield. *H'std* —4C **34**
Middlefield Rd. *Mis* —4J **9**
Middlemill Rd. *Colc* —3B **12**
Middleton Clo. *Clac S* —5C **29**
Middlewick Clo. *Colc* —3C **20**
Midland Clo. *Colc* —7B **12**
Midway. *Jay* —6A **32**
Midway Rd. *Colc* —2J **19**
Mile End Rd. *Colc* —6K **3**
Miles Clo. *S'way* —5C **10**
Milford Clo. *W'hoe* —3A **22**
Military Rd. *Colc* —5C **12**
Mill Bri. *H'std* —4B **34**
Mill Chase. *H'std* —3B **34**
Mill Clo. *Tip* —4G **35**
Miller's Barn Rd. *Jay* —3D **32**
Millers Clo. *Gt Hork* —3H **3**
Millers Clo. *S'way* —5C **10**
Millers La. *S'way* —5C **10**
Millfields. *Lay H* —7J **19**
Mill Hill. *Law* —3A **8**
Mill Hill. *Mann* —3E **8**
Mill La. *Gt Bro* —6F **7**
Mill La. *Gt Hol* —1D **30**
Mill La. *Har* —3J **25**
Mill La. *Lay H* —7H **19**
(in two parts)
Mill La. *Mann* —3F **9**
Mill La. *W on N* —1G **27**
Mill Rd. *M Tey* —2G **17**
Mill Rd. *M End* —6A **4**
Mill Rd. *W Mer* —4C **36**
Mill St. *B'sea* —6J **37**
Mill St. *Colc* —5C **12**
Mill Wlk. *Tip* —4G **35**
Millwrights. *Tip* —4G **35**
Milton Clo. *Colc* —5F **11**
Milton Rd. *Har* —3J **25**
Milton Rd. *Law* —5D **8**
Mimosa Clo. *Colc* —3G **13**
Minerva Clo. *Har* —6E **24**
Minerva End. *Colc* —3J **19**
Minsmere Dri. *Clac S* —5F **29**
Miranda Wlk. *Colc* —4G **13**
Mitchell Av. *H'std* —5B **34**
Modlen Rd. *W on N* —3E **26**
Monklands Ct. *H'std* —4A **34**

Monkwick Av. *Colc* —2B **20**
Mons Rd. *Colc* —7K **11**
Montbretia Clo. *S'way* —5D **10**
Montbretia Ct. *Clac S* —7F **29**
Montgomery Clo. *Colc* —7D **12**
Moorside. *Colc* —4D **12**
Morant Rd. *Colc* —6D **12**
Morebarn Rd. *Gt Bro* —1J **15**
Morello Ct. *Colc* —5C **20**
Morland Ct. *Gt Hork* —1H **3**
Morley Rd. *H'std* —3C **34**
Morley Rd. *Tip* —6H **35**
Morris Av. *Jay* —6B **32**
Morrow La. *A'lgh* —4E **6**
Morses La. *B'sea* —4H **37**
Morten Rd. *Colc* —3A **12**
Morton Way. *H'std* —2D **34**
Mossfield Clo. *Colc* —5J **11**
Moss Rd. *S'way* —7E **10**
Moss Way. *W Ber* —7E **2**
Mott's La. *M Tey* —2B **16**
Mountain Ash Clo. *Colc* —1E **12**
Mountbatten Dri. *Colc* —1D **20**
Mount Hill. *H'std* —5A **34**
Mt. Pleasant. *H'std* —4B **34**
Mount Ri. *H'std* —4A **34**
Mount, The. *Colc* —7J **11**
Mountview Rd. *Clac S* —6K **29**
Moverons La. *B'sea* —3F **37**
Moy Rd. *Colc* —3C **20**
Mulberry Av. *Colc* —7C **12**
Mumford Clo. *W Ber* —6E **2**
Mumford Rd. *W Ber* —7D **2**
Mumfords La. *Kir X* —1A **26**
Munnings Dri. *Clac S* —5G **29**
Munnings Rd. *Colc* —6G **11**
Munnings Way. *Law* —2D **8**
Muscade Clo. *Tip* —4H **35**
Museum St. *Colc* —4B **12**
Musgrave Clo. *Dov* —6E **24**
Musk Clo. *S'way* —4D **10**
Muswell Wlk. *Clac S* —6G **29**
Myland Hall Chase. *H'wds* —7D **4**
(in two parts)
Mynott Ct. *Tip* —5H **35**
Myrtle Gro. *Colc* —6D **12**
Mytchett Clo. *Clac S* —5E **28**

Nancy Smith Clo. *Colc* —6B **12**
Nansen Rd. *Hol S* —5C **30**
Napier Av. *Jay* —6A **32**
Napier Rd. *Colc* —6B **12**
Nash Clo. *Colc* —6H **11**
Nash Clo. *Law* —2D **8**
Nathan Dri. *Clac S* —7E **28**
Nayland Dri. *Clac S* —7E **28**
Nayland Rd. *Gt Hork & M End* —3J **3**
Nayland Rd. *W Ber* —5D **2**
Naze Ct. *W on N* —6J **27**
Naze Pk. Rd. *W on N* —7H **27**
Neale Rd. *H'std* —4B **34**
Neasden Av. *Clac S* —6G **29**
Nelson Rd. *Clac S* —3H **33**
Nelson Rd. *Colc* —5E **10**
Nelson Rd. *Har* —3H **25**
Nelson Rd. *B'sea* —7G **37**
Neptune Clo. *Colc* —5E **12**
Nether Ct. *H'std* —4D **34**
Newbridge Hill. *Colc & W Ber* —1D **10**
Newbridge Rd. *Tip* —5J **35**
New Captains Rd. *W Mer* —5B **36**
Newcastle Av. *Colc* —7E **10**
New Chu. Rd. *W Ber* —6D **2**
Newcomen Way. *Colc* —4D **4**
New Cut. *Lay H* —7F **19**
New Farm Rd. *S'way* —5D **10**
Newgate St. *W on N* —2G **27**
Newington Gdns. *Clac S* —3J **29**
New Kiln Rd. *Colc* —4J **11**
New Orleans Flats. *W Mer* —6B **36**
New Pk. St. *Colc* —5D **12**
New Pier St. *W on N* —2G **27**
Newport Clo. *Har* —6F **25**
Newport Dri. *Clac S* —4K **29**
Newport Way. *Frin S* —4E **26**
New Rd. *Mann* —4F **9**
New Rd. *Mess* —1G **35**
New Rd. *S'way* —5D **10**
New Rd. *Tip* —5H **35**
New St. *B'sea* —7H **37**
New St. *H'std* —4A **34**
Newton Rd. *Har* —4F **25**
New Town Rd. *Colc* —5C **12**
Nichols Clo. *Law* —4D **8**
Nien-Oord. *Clac S* —7E **28**
Nightingale Clo. *Clac S* —6J **29**
Nightingale Clo. *Colc* —3J **13**

Ransom Rd.—Shotley Clo.

Ransom Rd. Tip —5G 35
Ratcliffe Rd. Colc —5E 10
Raven's Av. H'std —4C 34
Ravensdale. Clac S —5J 29
Raven Way. Colc —6A 4
Rawden Clo. Har —3G 25
Rawlings Cres. H'wds —5D 4
Rawlings Way. H'wds —5D 4
Rawstorn Rd. Colc —4A 12
Ray Av. Har —4F 25
Raycliffe Av. Clac S —5H 29
Rayhaven. Har —5B 24
Ray Ho. W Mer —4D 36
(off Carrington Ct.)
Ray La. R'sy —4A 24
Rayleigh Clo. Colc —2D 12
Rayner Rd. Colc —1H 19
Rayner Way. H'std —4B 34
Reaper Rd. Colc —7G 11
Rebow Rd. Har —5F 25
Rebow Rd. W'hoe —4K 21
Rebow St. Colc —5D 12
Reckitts Clo. Clac S —7A 30
Recreation Rd. Clac S —1J 33
Recreation Rd. Colc —6D 12
Recreation Way. B'sea —5H 37
Rectory Clo. Colc —1A 12
Rectory La. R'sy —6A 24
(in two parts)
Rectory Rd. Cop —5G 17
Rectory Rd. Frat —3J 23
Rectory Rd. L Oak —7A 24
Rectory Rd. Rhdge —4G 21
Rectory Rd. Tip —6G 35
Rectory Rd. Wee H —2B 28
Rectory Rd. W'hoe —2A 22
Red Barn Rd. B'sea —4H 37
Redbridge Rd. Clac S —3J 29
Redhouse La. Boxt —1K 3
Red Lion Yd. Colc —4B 12
Redmill. Colc —1G 19
Redrose Wlk. Clac S —7F 29
Redwood Clo. Colc —2G 13
Redwood Ct. Colc —3G 13
Reed Clo. Clac S —6F 29
Reed Hall Av. Colc —1J 19
Reed Hall Av. N. Colc —1K 19
Refinery Rd. Har —2C 24
Regency Ct. Colc —7E 12
Regency Grn. Colc —7F 11
Regency Lodge. Clac S —6H 29
Regent Clo. B'sea —4H 37
Regent Rd. B'sea —5H 37
Regents Clo. H'wds —5E 4
Regent St. Mann —3F 9
Regent St. Rhdge —4H 21
Reigate Av. Clac S —5G 29
Rembrandt Way. Colc —6H 11
Remercie Rd. Mis —3J 9
Remus Clo. Colc —5B 4
Retreat, The. W Ber —7D 2
Reymead Clo. W Mer —5C 36
Reynards Clo. Kir X —4B 26
Reynards Copse. Colc —7C 4
Reynolds Av. Colc —6H 11
Richard Av. B'sea —6H 37
Richard Av. W'hoe —1A 22
Richardson Wlk. Colc —6F 11
Richards Wlk. Clac S —5H 29
Richmond Cres. Har —5G 25
Richmond Dri. Jay —3D 32
Richmond Rd. W Mer —5D 36
Riddles Dri. Colc —1B 12
Ridge, The. W on N —2F 27
Ridgeway. H'wds —6C 4
Ridgeway, The. Har —4F 25
Ridgewell Way. Colc —3B 20
Rigby Av. Mis —3H 9
(Beckford Rd.)
Rigby Av. Mis —4J 9
(Middlefield Rd.)
Rigdon's La. W on N —1D 26
Riley Av. Jay —6B 32
Rimini Clo. Colc —2J 19
Ripley Clo. Clac S —5E 28
Ripple Way. Colc —2D 12
Risby Clo. Clac S —7D 28
Rise, The. Eig G —3A 10
River Clo. H'std —4C 34
Riverside Av. E. Law —2E 8
Riverside Av. W. Law —2E 8
Riverside Wlk. Colc —3A 12
Riverview. Mann —3E 8
Roach Va. Colc —2G 13
Roberts Rd. Colc —6C 12
Robert Way. W'hoe —1A 22
Robinsdale. Clac S —5J 29
Robinson Rd. B'sea —5J 37
Rochdale Way. Colc —5G 13
Rochford Way. Frin S —3D 26
Rockhampton Wlk. Colc —3C 20
Rockingham Clo. Colc —7F 5
Roddam Clo. Colc —5J 11
Rogation Clo. S'way —6D 10
Rokell Way. Kir X —4C 26
Roman Hill. B'hth —5D 20
Roman Rd. Colc —3C 12
Roman Way. Colc —3A 20
Romford Clo. Colc —2D 12
Romney Clo. B'sea —3G 37
Romney Clo. Clac S —6G 29
Romney Clo. Kir X —3C 26
Romulus Clo. Colc —5B 4
Ronald Rd. H'std —5B 34
Rookeries, The. M Tey —2G 17
Rookery Chase. A'lgh —1B 6
Rookery La. Tip —3G 35
Rookery, The. Law —3E 8
Rookwood Clo. Clac S —4G 29
Roosevelt Way. Colc —7D 12
Rope Wlk. B'sea —7J 37
Rosabelle Av. W'hoe —3K 21
Rosalind Clo. Colc —4H 13
Rose Av. S'way —7C 10
Rosebank. Har —4F 25
Rosebank Rd. W Mer —5B 36
Rosebery Av. Colc —4C 12
Rose Ct. Colc —4D 20
Rose Cres. Colc —1K 11
Rosecroft Clo. Clac S —5H 29
Rosedale Cotts. S'way —1K 17
Rose La. W'hoe —5K 21
Rosemary Almshouses. S'way —1K 17
Rosemary Clo. Tip —5G 35
Rosemary Cres. Clac S —2J 33
Rosemary Cres. Tip —5G 35
Rosemary Rd. Clac S —2H 33
Rosemary Rd. W. Clac S —2H 33
Rosemary Way. Jay —5D 32
Rosetta Clo. W'hoe —2K 21
Rosewood Clo. H'wds —6C 4
Rossendale Clo. Colc —7F 5
Roundacre. H'std —5B 34
Round Clo. Colc —4H 11
Rouses La. Clac S —7C 28
Rover Av. Jay —5B 32
Rowallan Clo. Colc —1G 19
Rowan Chase. Tip —4G 35
Rowan Clo. Clac S —1F 33
Rowan Clo. Har —4G 25
Rowan Clo. S'way —7D 10
Rowhedge Rd. Colc & Rhdge —2F 21
Rowland's Yd. Har —5D 24
Royal Ct. Colc —2G 13
Roydon Way. Frin S —4D 26
Ruaton Dri. Clac S —7F 29
Rudd Ct. Colc —2H 13
Rudkin Rd. Colc —5B 4
Rudsdale Way. Colc —6F 11
Rugosa Clo. S'way —4C 10
Rush Grn. Rd. Clac S —2D 32
Rushmere Clo. W Mer —5D 36
Ruskin Clo. Kir X —3C 26
Russell Rd. Clac S —1K 33
Rutland Av. Colc —1H 19
Ryde Av. Clac S —4K 29
Rye Clo. B'sea —3G 37
Rye Clo. S'way —6E 10
Ryegate Rd. Colc —3B 12
Rye La. Lay H —7G 19

Sackville Way. W Ber —6D 2
Saddle M. S'way —5D 10
Sadler Clo. Colc —7D 12
Sadlers Clo. Kir X —4A 26
Saffron Way. Tip —6G 35
Sage Rd. Colc —2C 20
Sage Wlk. Tip —6G 35
St Albans Rd. Clac S —1K 33
St Alban's Rd. Colc —4K 11
St Andrew's Av. Colc —3E 12
St Andrews Clo. Alr —5F 23
St Andrew's Gdns. Colc —3D 12
St Andrews Pl. B'sea —3G 37
St Andrew's Rd. Clac S —1H 33
St Andrews Rd. H'std —3C 34
St Annes Rd. Clac S —7H 29
St Annes Rd. Colc —3D 12
St Augustine M. Colc —4C 12
St Austell Rd. Colc —1F 13
St Austin's La. Har —1K 25
St Barbara's Rd. Colc —7K 11
St Bartholomew Clo. Colc —7E 4
St Bernard Rd. Colc —1F 13
St Botolph's Chu. Wlk. Colc —5B 12
St Botolph's Cir. Colc —5B 12
St Botolph's St. Colc —5B 12
St Botolph's Ter. W on N —2G 27
St Bride Ct. Colc —1F 13
St Catharines Clo. Colc —3K 19
St Christopher Rd. Colc —1F 13
St Christophers Way. Jay —5D 32
St Clair Clo. Clac S —3J 29
St Clare Dri. Colc —4G 11
St Clare Rd. Colc —5G 11
St Clement Rd. Colc —1F 13
St Columb Ct. Colc —1E 12
St Cyrus Rd. Colc —1F 13
St Davids Clo. Colc —4E 12
St Denis Clo. Har —6F 25
St Dominic Rd. Colc —2F 13
St Edmunds Clo. Har —6F 25
St Edmund's Ct. Colc —3E 12
St Faith Rd. Colc —1F 13
St Ferndale Rd. Har —2J 25
St Fillan Rd. Colc —1F 13
St George's Av. Har —5H 25
St Georges Clo. Gt Bro —2J 15
St Helena M. Colc —6K 11
St Helena Rd. Colc —6K 11
St Helens Av. Clac S —4K 29
St Helen's Grn. Har —2K 25
St Helens La. Colc —4B 12
St Ives Clo. Clac S —1E 32
St James Ct. B'sea —6G 37
St Jean Wlk. Tip —4H 35
St John's Av. Colc —5B 12
St John's Clo. Colc —6F 5
St John's Cres. Gt Hork —2H 3
St John's Grn. Colc —5B 12
St John's Pl. Colc —5B 12
St John's Rd. Colc —7E 4
St John's Rd. St O & Clac S —7A 28
St John's Rd. W'hoe —5A 22
St John's St. Colc —5A 12
St John's Wlk. Colc —5B 12
St John's Wynd. Colc —5A 12
St Joseph Rd. Colc —7E 4
St Jude Clo. Colc —1F 13
St Jude Gdns. Colc —1G 13
St Julian Gro. Colc —5C 12
St Lawrence Rd. Colc —1F 13
St Leonard's Rd. Colc —5E 12
St Luke's Chase. Tip —6H 35
St Luke's Clo. Colc —1F 13
St Mark Dri. Colc —1F 13
St Marks Rd. Clac S —7H 29
St Martins Clo. Clac S —7H 29
St Mary's Rd. Clac S —7H 29
St Mary's Rd. Frin S —5E 26
St Michael's Chase. Cop —4H 17
St Michaels Ct. Mann —3F 9
(off Stour St.)
St Michaels Rd. Colc —3J 19
St Michael's Rd. Har —5G 25
St Monance Way. Colc —1F 13
St Neots Clo. Colc —1F 13
St Nicholas Pas. Colc —4B 12
St Nicholas St. Colc —4B 12
St Osyth Beach Holiday Pk. St O —6A 32
St Osyth Rd. Alr —5F 23
St Osyth Rd. Clac S —1F 33
St Osyth Rd. L Cla —2E 28
(in two parts)
St Paul's Rd. Clac S —1K 33
St Paul's Rd. Colc —3A 12
St Peter's Ct. Colc —3A 12
St Peter's Rd. W Mer —5B 36
St Peter's St. Colc —3A 12
St Runwald St. Colc —4B 12
St Saviour Clo. Colc —1F 13
St Thomas Clo. Colc —1G 13
St Vincent Rd. Clac S —3G 33
Salary Clo. Colc —2G 13
Salerno Cres. Colc —2J 19
Salisbury Av. Colc —5A 12
Salisbury Rd. Clac S —6B 30
Salmon Clo. Colc —7F 11
Salvia Clo. Clac S —7F 29
Sampson's La. Pel —1A 36
Samsons Clo. B'sea —4G 37
Samson's Rd. B'sea —3G 37
Sanders Dri. Colc —4H 11
Sanderson M. Colc —4B 12
Sandford Clo. W'hoe —4A 22
Sandon Clo. Gt Hork —3J 3
Sandown Clo. Clac S —3K 29
Sandpiper Clo. Colc —3J 13
Sandringham Dri. Colc —7C 12
Sandwich Rd. B'sea —4H 37
Sandwich Rd. Clac S —4F 33
Sanity Clo. W'hoe —4A 22
Saran Ct. W'hoe —2J 21
Sargeant Clo. Colc —1D 20
Sarre Way. B'sea —4G 37
Saville St. W on N —1G 27
Savill Rd. Colc —2E 20
Saxmundham Way. Clac S —7D 28
Saxon Clo. Colc —7F 11
Saxon Clo. H'std —3C 34
Saxon Way. Clac S —5E 30
Saxted Dri. Clac S —7D 28
Scarfe Way. Colc —5G 13
Scarlets Chase. Gt Hork —4E 2
Scarletts Rd. Colc —6E 12
Scheregate. Colc —5B 12
School Chase. H'std —5B 34
School Hill. B'ch —6A 18
(in two parts)
School La. Frat —4K 23
School La. Gt Hork —1F 3
School La. Law —5C 8
School La. Mis —3H 9
School La. W Ber —6E 2
School Rd. Colc —2C 20
School Rd. Cop —2H 17
School Rd. Elms —1D 22
School Rd. Frin S —5C 26
School Rd. Mess —1G 35
Scott Dri. Colc —5F 11
Scythe Way. Colc —7F 11
Sea Cornflower Way. Jay —5D 32
Sea Cres. Jay —6C 32
Seaden Ct. Clac S —3A 30
Seafield Av. Mis —3K 9
Seafield Rd. Har —5G 25
Seafields Gdns. Clac S —6B 30
Seafields Rd. Clac S —6B 30
Sea Flowers Way. Jay —5D 32
Sea Glebe Way. Jay —5D 32
Sea Holly Way. Jay —6D 32
Sea King Cres. Colc —6D 4
Sea La. Clac S —6B 30
Sea Lavender Way. Jay —5D 32
Sea Pink Way. Jay —6D 32
Searle Way. Eig G —2B 10
Sea Rosemary Way. Jay —5D 32
Sea Shell Way. Jay —6D 32
Sea Thistle Way. Jay —6D 32
Seaton Clo. Law —4D 8
Seaview Av. L Oak —7B 24
Seaview Av. W Mer —4E 36
Seaview Heights. W on N —3G 27
Seaview Rd. B'sea —5H 37
Sea Way. Jay —6C 32
Sebastian Clo. Colc —4G 13
Second Av. Clac S —7A 30
Second Av. Frin S —6C 26
Second Av. H'std —4E 34
Second Av. Har —4H 25
Second Av. W on N —6J 27
Selby Clo. Colc —3K 19
Seldon Rd. Tip —5H 35
Selsey Av. Clac S —4F 33
Serpentine Wlk. Colc —3A 12
Severalls Ind. Est. H'wds —4E 4
Severalls La. Colc —2C 4
Severn Rd. Clac S —6J 29
Sexton Clo. Colc —4D 20
Seymour Rd. Jay —3C 32
Shackleton Clo. Har —6E 24
Shaftesbury Av. Har —3G 25
Shakespeare Rd. Colc —5F 11
Shanklin Clo. Clac S —3K 29
Shaw Clo. Kir X —3D 26
Shears Cres. W Mer —6D 36
Sheepen Pl. Colc —3A 12
Sheepen Rd. Colc —3K 11
Sheering Wlk. Colc —2B 20
Sheerwater M. Colc —3J 13
Shelley La. L Cla —2J 29
Shelley Rd. Colc —5F 11
Shepherd's Cft. S'way —6D 10
Sheppard Clo. Clac S —5G 29
Sherborne Clo. Kir X —3D 26
Sherbourne Rd. Colc —4H 13
Sheridan Wlk. Colc —5F 11
Sheriffs Way. Clac S —5H 29
Sherwood Clo. Colc —4F 13
Sherwood Dri. Clac S —5H 29
Shewell Wlk. Colc —4B 12
Shillito Clo. Colc —7F 11
Shipyard Est. B'sea —7H 37
Shire La. W Ber —6F 3
Shirley Ct. Jay —3C 32
Shoreham Rd. Clac S —4F 33
Short Cut Rd. Colc —4A 12
Short La. Frin S —7A 26
Short Wyre St. Colc —4B 12
Shotley Clo. Clac S —7D 28

Uplands Rd. *Clac S* —3G **33**
Up. Branston Rd. *Clac S* —7G **29**
Up.Chapel St. *H'std* —3B **34**
Up. Fenn Rd. *H'std* —3D **34**
Up. Fourth Av. *Frin S* —5D **26**
Up. Haye La. *Fing* —7E **20**
Up. Park Rd. *B'sea* —5G **37**
Up. Park Rd. *Clac S* —1G **33**
Up. Second Av. *Frin S* —5C **26**
Up. Third Av. *Frin S* —5C **26**
Up. Trinity Rd. *H'std* —4B **34**
Upton Clo. *W Ber* —6D **2**

Vale Clo. *Colc* —1G **13**
Valence Way. *Clac S* —7J **29**
Valentines Dri. *Colc* —2E **12**
Valfreda Way. *W'hoe* —3K **21**
Valleybridge Rd. *Clac S* —6K **29**
Valley Clo. *S'way* —1E **18**
Valley Cres. *W Ber* —7E **2**
Valley Rd. *Clac S* —6J **29**
Valley Rd. *Colc* —7H **13**
Valley Rd. *Har* —5C **24**
Valley Rd. *W'hoe* —4A **22**
Valley Vw. *W Ber* —7E **2**
Valley Vw. Clo. *H'wds* —6C **4**
Valley Wlk. *W on N* —3E **26**
Van Dyck Rd. *Colc* —6G **11**
Vanessa Dri. *W'hoe* —3K **21**
Vansittart St. *Har* —2J **25**
Vaux Av. *Har* —6E **24**
Vauxhall Av. *Jay* —6B **32**
Ventnor Dri. *Clac S* —3K **29**
Vermont Clo. *Clac S* —7K **29**
Veronica Wlk. *Colc* —4G **13**
Vicarage Ct. *H'std* —3A **34**
Vicarage Gdns. *Clac S* —2G **33**
Vicarage La. *W on N* —2G **27**
Vicarage Mdw. *H'std* —4B **34**
Viceroy Clo. *Colc* —1D **20**
Victoria Av. *Kir S* —2B **26**
Victoria Chase. *Colc* —3A **12**
Victoria Clo. *W'hoe* —2K **21**
Victoria Cres. *Law* —3E **8**
Victoria Esplanade. *W Mer* —6D **36**
Victoria Gdns. *Colc* —7D **4**
Victoria Pl. *B'sea* —6H **37**
Victoria Pl. *Colc* —5D **12**
(Cannon St.)
Victoria Pl. *Colc* —4B **12**
(Eld La.)
Victoria Rd. *Clac S* —1K **33**
Victoria Rd. *Colc* —6J **11**
Victoria Rd. *W on N* —2G **27**
Victoria St. *Har* —3J **25**
Victor Rd. *Colc* —5D **12**
Victory Rd. *Clac S* —1G **33**
Victory Rd. *W Mer* —5A **36**
Vienna Clo. *Har* —6F **25**
Vigar Wlk. *Clac S* —6F **29**
Viking Way. *Clac S* —5E **30**
Village Clo. *Kir X* —3B **26**
Village Clo. *L Clac* —2G **29**
Village Way. *Kir X* —3B **26**
Villa Rd. *S'way* —5C **10**
Vince Clo. *W Mer* —5C **36**
Vine Dri. *W'hoe* —1A **22**
Vine Farm Rd. *W'hoe* —1A **22**
Vine Pde. *W'hoe* —1A **22**
Vine Rd. *Tip* —4G **35**
Vinesse Rd. *L Hork* —1D **2**
Vineway, The. *Har* —3F **25**
Vineyard Ga. *Colc* —5B **12**
Vineyard Steps. *Colc* —5B **12**
Vineyard St. *Colc* —5B **12**
Vint Cres. *Clac S* —5J **11**
Viola Wlk. *Colc* —4G **13**
Virginia Clo. *Clac S* —3D **32**
Viscount Dri. *H'wds* —5E **4**
Vista Av. *Kir S* —1B **26**
Vista Rd. *Clac S* —7J **29**
Vitellus Clo. *Colc* —4D **4**
Vivian Ct. *W on N* —2G **27**

Waddesdon Rd. *Har* —3J **25**
Wade Reach. *W on N* —2E **26**
Wade Rd. *Clac S* —3A **30**
Wakefield Clo. *Colc* —3C **12**
Waldegrave Clo. *Law* —4D **8**
Waldegrave Way. *Law* —4D **8**
Walden Way. *Frin S* —5D **26**
Walk, The. *Eig G* —3A **10**
Wallis Ct. *Colc* —1E **18**
Walls, The. *Mann* —3F **9**
Walnut Tree Way. *Colc* —1H **19**
Walnut Tree Way. *Tip* —3G **35**
Walnut Way. *B'sea* —5G **37**
Walnut Way. *Clac S* —1F **33**
Walsingham Rd. *Colc* —5B **12**
Walter Radcliffe Way. *W'hoe* —5A **22**
Walters Yd. *Colc* —4B **12**
Waltham Way. *Frin S* —5E **26**
Walton Rd. *Clac S* —1J **33**
Walton Rd. *Kir X* —4C **26**
Walton Rd. *Kir S* —2B **26**
Walton Rd. *T Sok & Kir S* —1A **26**
Warde Chase. *W on N* —2F **27**
Wargrave Rd. *Clac S* —7G **29**
Warham Rd. *Har* —5D **24**
Warley Way. *Frin S* —4F **27**
Warnham Clo. *Clac S* —5E **28**
Warren La. *S'way* —3B **18**
Warren Rd. *H'std* —4A **34**
Warrens. *H'std* —4A **34**
Warrens, The. *Kir X* —4C **26**
Warwick Bailey Clo. *Colc* —1K **11**
Warwick Ct. *Colc* —7E **12**
Warwick Cres. *Clac S* —7H **29**
Warwick Rd. *Clac S* —1G **33**
Washford Gdns. *Colc* —2G **33**
Washington Ct. *Colc* —6E **10**
Washington Rd. *Dov* —5E **24**
Wash La. *Clac S* —3G **33**
(in two parts)
Waterhouse La. *A'lgh* —5E **6**
Water La. *Colc* —3J **11**
Water Side. *B'sea* —7H **37**
Waterville Rd. *Colc* —1D **20**
Waterworks Dri. *Clac S* —6E **28**
Watson Rd. *Clac S* —1H **33**
Watts Rd. *Colc* —2H **19**
Wat Tyler Wlk. *Colc* —4B **12**
(off W. Stockwell St.)
Wavell Av. *Colc* —7J **11**
Wavring Av. *Kir X* —3C **26**
Weavers Clo. *Colc* —6F **11**
Weavers Ct. *H'std* —4B **34**
Weavers Row. *H'std* —4C **34**
Wedgewood Dri. *Colc* —1A **12**
Weggs Willow. *Colc* —4E **12**
Weir La. *B'hth* —5D **20**
(in two parts)
Wellesley Rd. *Clac S* —7H **29**
Wellesley Rd. *Colc* —5A **12**
Well Fld. *H'std* —5C **34**
Wellfield Way. *Kir X* —4B **26**
Wellington Rd. *Har* —1K **25**
Wellington St. *B'sea* —6H **37**
Wellington St. *Colc* —5A **12**
Well La. *Ethpe* —7E **16**
Well Side. *M Tey* —3C **16**
Wells Rd. *Colc* —3C **12**
Well St. *B'sea* —5G **37**
Welshwood Pk. Rd. *Colc* —1G **13**
Wesley Av. *Colc* —3E **12**
West Av. *Clac S* —2H **33**
Westbury Clo. *Cop* —2H **17**
Westcott Clo. *Clac S* —5G **29**
W. Dock Rd. *Pkstn* —2D **24**
W. End La. *Har* —6G **25**
W. End Rd. *Tip* —7F **35**
Western Rd. *B'sea* —6G **37**
Westlake Cres. *W'hoe* —2J **21**
W. Lodge Rd. *Colc* —5K **11**
Westminster Ct. *Colc* —7E **12**
Westmorland Clo. *Mis* —4K **9**
Weston Rd. *Colc* —7D **12**
Westridge Way. *Clac S* —5K **29**

West Rd. *Clac S* —4D **32**
West Rd. *H'std* —4B **34**
Westside Ind. Est. *S'way* —6B **10**
W. Stockwell St. *Colc* —4B **12**
West St. *Colc* —5A **12**
West St. *Har* —1J **25**
West St. *Rhdge* —4H **21**
West St. *W on N* —2G **27**
West St. *W'hoe* —4K **21**
West Vw. Clo. *Colc* —7D **4**
Westway. *Colc* —2A **12**
Westwood Dri. *W Mer* —5E **36**
Westwood Hill. *B'wck* —7H **3**
Westwood Pk. Rd. *W Ber* —2D **2**
West Yd. *H'std* —5B **34**
Wethersfield Rd. *Colc* —4C **20**
Wetzlar Clo. *Colc* —7D **12**
Weymouth Clo. *Clac S* —4G **33**
Whaley Rd. *Colc* —4E **12**
Wheatfield Rd. *S'way* —5D **10**
Wheatlands. *Elms* —5D **14**
Wheatsheaf Ct. *Colc* —5C **12**
Wheeler Clo. *Colc* —5G **13**
Whinfield Av. *Dov* —6D **24**
Whitefriars Way. *Colc* —6G **11**
Whitegate Rd. *B'sea* —6J **37**
Whitehall Clo. *Colc* —7E **12**
Whitehall Ind. Est. *Colc* —7F **13**
Whitehall Rd. *Colc* —1E **20**
White Hart La. *Har* —1J **25**
White Hart La. *W Ber* —5D **2**
White Horse Av. *H'std* —5A **34**
Whitehouse La. *W Ber* —7D **2**
Whitewell Rd. *Colc* —5B **12**
Whittaker Way. *W Mer* —4B **36**
Wickham Rd. *Colc* —6K **11**
Wick La. *A'lgh* —2H **5**
Wick La. *Gt Ben* —1A **28**
(in two parts)
Wick Rd. *Colc* —2F **21**
Wignall St. *Law* —4B **8**
Wilbye Clo. *Colc* —7H **11**
Wilkin Ct. *Colc* —7G **11**
Willett Rd. *Colc* —1H **19**
William Boys Clo. *Colc* —3F **13**
William Clo. *W'hoe* —7A **14**
William Dri. *Clac S* —2G **33**
William Groom Av. *Dov* —5F **25**
William Sparrow Ct. *W'hoe* —2A **22**
Williams Wlk. *Colc* —4B **12**
Willingham Way. *Colc* —4G **13**
Willoughby Av. *W Mer* —5D **36**
Willow Av. *Kir S* —4B **26**
Willow Clo. *B'sea* —6F **37**
Willow Clo. *Colc* —4F **5**
Willows, The. *Colc* —1C **20**
Willow Wlk. *Tip* —3G **35**
Willow Way. *H'std* —4A **34**
Willow Way. *Har* —5E **24**
Willow Way. *Jay* —5D **32**
Wilmington Rd. *Colc* —1E **12**
Wilson Clo. *W'hoe* —2J **21**
Wilson Marriage Rd. *Colc* —2E **12**
Wimborne Gdns. *Kir X* —3D **26**
Wimpole Rd. *Colc* —5D **12**
Winchelsea Pl. *B'sea* —4H **37**
Winchester Rd. *Colc* —6C **12**
Winchester Rd. *Frin S* —5E **26**
Windermere Rd. *Clac S* —5B **30**
Windmill Ct. *Cop* —2H **17**
Windmill Ct. *M End* —6A **4**
Windmill Pk. *Clac S* —6J **29**
Windmill Rd. *Brad* —5K **9**
Windmill Rd. *H'std* —4A **34**
Windmill Vw. *Tip* —4G **35**
Windsor Av. *Clac S* —1G **33**
Windsor Clo. *Colc* —2C **20**
Windsor Ct. *B'sea* —5H **37**
Windsor Ho. *W Mer* —4D **36**
(off Carrington Ct.)
Windsor Rd. *W Mer* —4D **36**
Windsor Rd. Folley. *W Mer* —4D **36**
Winnock Rd. *Colc* —5C **12**
(in two parts)

Winsley Rd. *Colc* —5D **12**
Winsley Sq. *Colc* —7D **12**
Winston Av. *Colc* —7H **11**
Winston Av. *Tip* —5J **35**
Winston Way. *H'std* —2D **34**
Winstree Clo. *Lay H* —7F **19**
Winstree Rd. *S'way* —5D **10**
Winterbournes. *W on N* —3E **26**
Wistaria Pl. *Clac S* —6F **29**
Witch Elm. *Har* —5E **24**
Witting Clo. *Clac S* —6G **29**
Witton Wood La. *Frin S* —5B **26**
Witton Wood Rd. *Frin S* —5C **26**
Wivenhoe Cross. *W'hoe* —2A **22**
Wivenhoe Rd. *Alr* —5C **22**
Wivenhoe Rd. *C Hth* —2A **14**
Woburn Av. *Kir X* —3B **26**
Wolfe Av. *Colc* —6C **12**
Wolseley Av. *Jay* —6C **32**
Wolton Rd. *Colc* —2H **19**
Wood Barn La. *Law* —1H **7**
Woodberry Way. *W on N* —3F **27**
Woodbridge Gro. *Clac S* —7D **28**
Woodcock Clo. *Colc* —5G **13**
Woodfield Clo. *W on N* —3E **26**
Woodfield Dri. *W Mer* —4B **36**
Wood Fld. End. *Lay H* —7G **19**
Woodford Clo. *Clac S* —3J **29**
Woodhouse La. *Gt Hork* —4G **3**
Woodland Clo. *Colc* —6F **11**
Woodlands. *Colc* —2H **13**
Woodlands Clo. *Clac S* —3K **29**
Woodlands, The. *B'sea* —5G **37**
Woodland Way. *W'hoe* —3K **21**
Wood La. *Hol S* —1B **30**
Woodpecker Clo. *Colc* —3H **13**
Woodrows La. *Clac S* —6E **28**
Woodrow Way. *Colc* —4G **13**
Woodrush End. *S'way* —5B **10**
Woodside. *W on N* —4F **27**
Woodside Clo. *Colc* —2G **13**
Woodstock. *W Mer* —4C **36**
Woodview Clo. *Colc* —6F **5**
Woolner Rd. *Clac S* —5G **29**
Woolwich Rd. *Clac S* —6F **29**
Worcester Cres. *Alr* —4F **23**
Worcester Rd. *Colc* —3C **12**
Wordsworth Rd. *Colc* —5F **11**
Workhouse Rd. *L Hork* —1D **2**
Worsdell Way. *Colc* —1B **12**
Worthing M. *Clac S* —4F **33**
Worthington Way. *Colc* —7F **11**
Wrabness Rd. *R'sy* —5A **24**
(in two parts)
Wrendale. *Clac S* —5J **29**
Writtle Clo. *Clac S* —7E **28**
Wroxham Clo. *Colc* —5H **11**
Wryneck Clo. *Colc* —7B **4**
Wych Elm. *Colc* —1C **20**
Wycliffe Gro. *Colc* —2A **12**
Wyedale Dri. *Colc* —6E **10**
Wyncolls Rd. *Colc* —4E **4**
Wyndham Clo. *Colc* —4D **20**
Wyndham Cres. *Clac S* —7K **29**

Yale M. *Colc* —6D **4**
Yarmouth Clo. *Clac S* —5G **29**
Yew Tree Clo. *Colc* —3G **13**
Yew Way. *Jay* —6C **32**
Yorick Av. *W Mer* —5C **36**
Yorick Rd. *W Mer* —5C **36**
York Mans. *Hol S* —6D **30**
York Pl. *Colc* —3C **12**
York Rd. *B'sea* —6G **37**
York Rd. *Clac S* —5C **30**
York St. *Mann* —3F **9**
Young Clo. *Clac S* —6F **29**
Ypres Rd. *Colc* —1K **19**

Zinnia M. *Clac S* —7F **29**